D0306724

Akhenaton
Le dieu maudit

Du même auteur

Aux Éditions Gallimard

L'Enfant de Bruges, roman, 1999.
À mon fils à l'aube du troisième millénaire, essai, 2000.
Des jours et des nuits, roman, 2001.

Aux Éditions Denoël

Avicenne ou la Route d'Ispahan, roman, 1989.
L'Égyptienne, roman, 1991.
La Pourpre et l'Olivier, roman, 1992.
La Fille du Nil, roman, 1993.
Le Livre de saphir, roman, 1996, Prix des libraires.

Aux Éditions Pygmalion

Le Dernier Pharaon, biographie, 1997.

Aux Éditions Calmann-Lévy

Le Livre des sagesses d'orient, anthologie, 2000.
L'Ambassadrice, biographie, 2002.

Aux Éditions Albin Michel

Les Silences de Dieu, roman, 2003, Grand Prix de la littérature policière.

Gilbert Sinoué

Akhenaton
Le dieu maudit

Flammarion

www.editions.flammarion.com

ISBN : 2-08-068356-X

*« Au dire de Freud (*Moïse et le monothéisme*), un peu de différence mène au racisme. Mais beaucoup de différences en éloignent, irrémédiablement.*

Égaliser, démocratiser, massifier, tous ces efforts ne parviennent pas à expulser "la plus petite différence", germe de l'intolérance raciale.

C'est pluraliser, subtiliser, qu'il faudrait, sans frein. »

Roland Barthes.

AVANT-PROPOS

Se lancer dans une biographie d'Akhenaton relève d'un pari quelque peu inconscient, car à peine commence-t-on à se plonger dans la forêt d'ouvrages spécialisés consacrés au sujet que l'on se retrouve vite confronté à une évidence : nous savons peu de chose, et ce peu est lui-même source de perpétuels débats et d'empoignades. Qu'il s'agisse du pharaon lui-même, des hommes et des femmes qui l'entourèrent, la plupart des protagonistes qui évoluèrent dans la cité solaire sont une énigme, et – à quelques exceptions près – leurs arbres généalogiques sont impossibles à dresser. Si, malgré ces importantes lacunes, la période dite amarnienne ne cesse d'exciter l'imaginaire, c'est sans doute parce qu'elle correspond à la première tentative de monothéisme ou d'« hénothéisme », ce qui revient au même, de l'histoire humaine.

Tout est mystère dans cette affaire. Qui était Néfertiti ? Une princesse mitannienne ? Une Égyptienne pure souche ? Quelle fut la cause de la rupture – si tant est qu'il y eut rupture – entre elle et son divin époux dans les dernières années du règne ? Dans quelles circonstances celle dont le nom signifie « La Belle est venue » est-elle morte ? Où se trouve sa sépulture ?

Pour ce qui est d'Akhenaton, les choses sont encore plus complexes. Était-il victime d'un désordre du système endocrinien, qui lui aurait conféré cette apparence androgyne, voire féminine ? A-t-il été assassiné ou est-il mort de mort naturelle ? Où est-il enterré ? Était-il un simple illuminé ? Un visionnaire ? L'idée de vénérer un dieu, un seul, au détriment des autres a-t-elle germé en lui, est-elle née avant lui ou lui a-t-elle été inspirée par quelqu'un de son entourage ?

Quelle dépouille reposait dans la mystérieuse tombe baptisée KV55, mise au jour en 1907 par Theodore Davis, avocat américain amateur d'égyptologie ?

Enfin, qui pourra répondre de manière décisive à la fameuse interrogation qui n'a de cesse d'opposer les experts : y a-t-il eu corégence ou non ? Dans l'affirmative, alors Akhenaton a-t-il régné avec son père Amenhotep III [1] pendant une longue période ou pendant deux ou trois ans ? Dans l'état actuel de nos connaissances, il serait bien risqué de prendre position sur le sujet, d'autant qu'à ce jour aucun document n'indique clairement que telle année du gouvernement du père correspond à telle année de celui du fils. Nombre d'historiens sont convaincus qu'Akhenaton a succédé à son père seulement à la mort de celui-ci et qu'il a régné seul durant les dix-sept ans qu'on lui attribue. Comme le souligne Cyril Aldred : « Cette hypothèse permet d'éviter certains problèmes épineux, comme l'existence de deux cours gouvernant simultanément pendant onze ou douze ans (c'est la durée optimale retenue pour une corégence). Elle permet également d'écarter les difficultés posées par le recouvrement des pouvoirs, la division des responsabilités et d'autres sujets de perplexité qui semblent inextricables selon notre manière moderne de penser, comme l'existence de deux cultes rivaux qui devaient probablement être anathèmes l'un pour l'autre [2]. » Pourtant, certains indices incitent à penser que les premières années du règne du fils furent bien contemporaines des dernières années d'Amenhotep III.

On le voit, le débat est loin d'être clos. Les questions restent posées, et l'essentiel demeure à ce jour enfoui dans les sables égyptiens.

Les dates qui concernent la fin de la XVIIIe dynastie n'étant pas établies avec certitude et de nombreuses discussions opposant encore les scientifiques à propos de cette période, j'ai préféré – à l'instar de nombreux égyptologues – adopter pour références les années de règne plutôt que les dates calendaires. En effet, à partir du Nouvel Empire, un nouveau système fut introduit par les scribes de la XVIIIe dynastie qui fixèrent comme point de départ de la datation la première année de règne d'un souverain pour repartir de zéro à chaque nouvel avènement. Bien que plusieurs listes royales nous soient parvenues, il s'est avéré impossible de les faire coïncider parfaitement selon le système de datation moderne. Les dates du règne d'Akhenaton demeurent donc incertaines.

En conclusion, face à tant d'inconnu, un choix s'imposait. Ainsi que l'écrit Marc Gabolde, maître de conférences en égyptologie à l'université Paul-Valéry de Montpellier-III et auteur d'un brillant essai sur Akhenaton [3], à propos des théories qu'il énonce dans son ouvrage : « Pour échafauder le modèle historique [présenté ci-dessus], le recours aux déductions a été fréquent et l'intuition a souvent été sollicitée. » C'est la voie que j'ai choisi d'emprunter.

L'usage d'expressions contemporaines, voire anachroniques, n'est pas fortuit. De même, j'ai sciemment opté pour l'appellation « moderne » de certaines villes plutôt que d'employer le nom – parfois incertain – qui était le leur à l'époque. Appeler Thèbes[4] « Ouaset », ou Memphis « Men Nefer » n'aurait fait, me semble-t-il, que semer la confusion dans l'esprit du lecteur.

Écrire une biographie – dans l'acception stricte du terme – de celui que l'on a baptisé l'« hérétique » se révélant impossible, l'instillation d'un ingrédient romanesque m'est apparu indispensable. J'en demande pardon aux puristes. Les livres didactiques rédigés par les égyptologues les plus éminents foisonnent ; un de plus ne m'a pas semblé nécessaire. De même, aborder la vie d'Akhenaton de façon purement romanesque eût été une trahison, non seulement à l'égard de la communauté scientifique, mais aussi des lecteurs. Le seul travail que j'ai tenté d'accomplir a consisté à trouver la juste mesure afin que l'apport d'imaginaire ne fût pas « un mensonge vrai ou une vérité mensongère ».

L'Égypte et le Proche-Orient à l'époque d'Amenhotep IV-Akhenaton

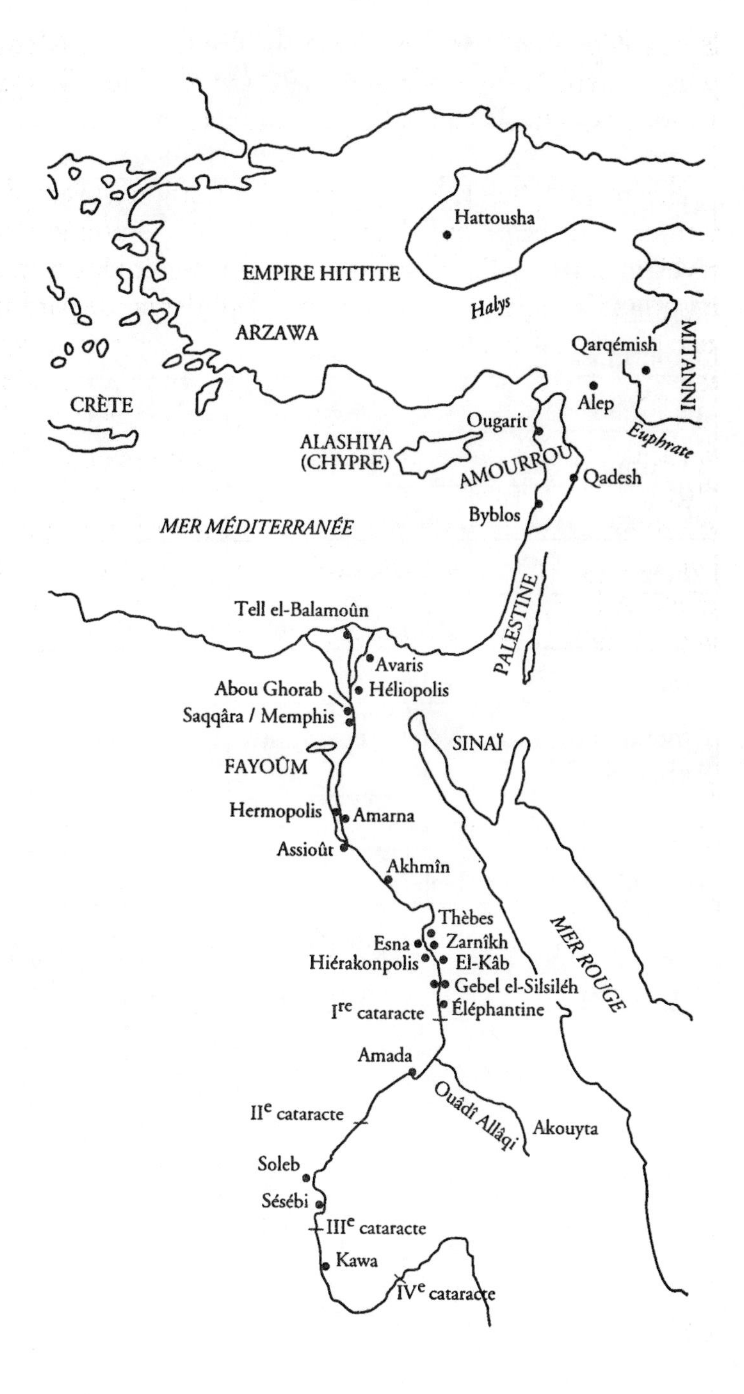

Chronologie des pharaons du Nouvel Empire
Selon Donald B. Redford[5]

Nom	Prénom	Date (av. J.-C.)
Ahmosis Ier	Nebpehtyrê	1569-1545
Amenhotep Ier ou Amenophis	Djeserkarê	1545-1514
Thoutmosis Ier	Aakheperenrê	1525-1514
Thoutmosis II	Aakheperenrê	1514-1504
Thoutmosis III	Menkheperrê	1504-1451
Hatshepsout	Maâtkarê	1502-1483
Amenhotep II	Aakheperourê	1453-1426
Thoutmosis IV	Menkheperourê	1426-1416
Amenhotep III	Nebmaâtrê	1416-1377
Amenhotep IV ou Akhénaton	Néferkheperourê	1377-1360
Semenekhkârê	Ankhkheperourê	1360
Toutankhamon	Nebkheperourê	1360-1350
Ay	Kheperkheperourê	1350-1347
Horemheb	Djeserkheperourê	1347-1318

Thèbes, an I de
Horemheb, 3e mois
d'Epiphi, jour 10[6]

Anoukis à Keper

Que le jour te soit propice, ami. J'ai bien reçu ta missive en réponse à la mienne et t'en remercie. Oui. Tu as bien lu. Je travaille à l'écriture d'un opuscule sur « Celui qui fut bénéfique à Aton[7] ». Pourquoi t'en étonnes-tu ? Étant l'un des rares survivants à l'avoir côtoyé, je me devais d'accomplir cette tâche. On a tellement menti sur lui, on a tellement conspué son souvenir, qu'il m'est apparu indispensable d'offrir aux générations à venir une autre vision que celle que l'on s'efforce de répandre à travers le Double Pays. Tu me demandes pourquoi maintenant : alors que treize ans se sont écoulés depuis sa mort ? À mon tour d'être surpris par ton interrogation. Lorsque Semenekhkârê lui a succédé, puis le « divin père » Ay, j'ai longtemps cru que les idées défendues par Akhenaton survivraient à la fuite du temps. Je savais les oppositions qu'elles avaient déclenchées au sein du clergé d'Amon, comme je savais la haine qui couvait, mais j'espérais – naïvement, je l'admets – que, chaque année passant, les rancœurs s'estomperaient et que l'amour du dieu unique pénétrerait définitivement le cœur des hommes. Je pensais aussi que jamais les successeurs de notre seigneur aimé n'oseraient remettre en question l'héritage. Je me suis doublement trompé. La trahison est venue plus tôt que prévu, de tous côtés et surtout de son propre frère : Toutankhaton.

C'est au moment où Toutankhaton a blasphémé en optant pour le nom de Toutankhamon que j'aurais dû avoir le courage de me manifester. Je reconnais que je ne l'ai pas eu. Non que j'aie craint pour ma vie ; ma vie est au crépuscule, et je n'y ai jamais vraiment attaché grande importance. J'ai craint pour Ankheri, ma femme, et pour Ptahor, mon fils. Aujourd'hui je ne peux plus me taire. Le bâillon m'étouffe.

Keper, mon ami, tu es l'un des rares, sinon le seul, à avoir pressenti quelles étaient la gravité, l'intensité des liens qui m'unissaient au pharaon défunt. Tu sais combien je l'aimais ! J'aimais sa démarche lente et sa silhouette trouble, ses épaules étroites, sa poitrine saillante, ses hanches de femme et ses cuisses charnues. J'aimais boire à ses lèvres épaisses, et je trouvais même de la noblesse à son visage émacié. J'aimais tout de lui, puisqu'il fut mon maître. J'aimais tout de nous, puisqu'il fut mon amant. Depuis qu'il est parti rejoindre le bel Occident, l'astre solaire a perdu de son éclat, et je suis triste. Triste et sec, comme les champs que le limon déserte à l'heure des saisons d'*akhet*, lorsque l'inondation tant espérée n'est pas au rendez-vous.

En cet instant précis, alors que mon pinceau noircit le papyrus, les coups de marteau blasphématoires résonnent dans Karnak. On détruit les cartouches, on renverse les statues. Les suppôts de ce scélérat de Horemheb ont ordre d'effacer toute trace de l'aimé. Demain, les pierres du temple sacré seront démontées, les fresques souillées. Bientôt, il ne subsistera rien des dix-sept ans de règne d'Akhenaton, et, hormis le vent qui tourne sur les dunes, plus personne ne soufflera son nom.

Il est bien connu que c'est le dieu Thot qui, après avoir créé l'écriture, en a fait don aux hommes. Aujourd'hui, ce sont les hommes qui assassinent l'écriture. Dis-moi pourquoi ce déferlement de haine ? Qu'a fait mon seigneur pour mériter si terrible châtiment, pour que treize ans après sa mort le ressentiment à son encontre soit si vivace ? Oh, je ne suis pas dupe ! C'est mon cœur qui pose la question, mais toi et moi savons la réponse.

Avant d'entamer l'écriture de cet opuscule, je souhaite partager avec toi les impressions que tu as conservées de ces dix-sept années de règne. Il se pourrait qu'ici et là ma mémoire me trahisse. Dans ce cas, n'hésite pas, je te prie, à rectifier mes erreurs, ou à pallier mes manques. Par ailleurs, ne sois pas surpris si je me laisse aller à justifier ou à expliquer le sens de certains termes qui sont aujourd'hui à nos yeux des évidences. Le destin est curieux qui nous mène où bon lui semble. Aussi, il se pourrait que notre correspondance tombe un jour sous les yeux d'un lecteur qui aura oublié, ou qui n'aura rien su de nos traditions et de nos rites. Je ne parle pas de demain, mais de beaucoup plus tard. Lorsque l'empire aura fondu au soleil, comme fondent tous les empires. Quand les pharaons ne régneront plus que sur des fresques. Car tu n'ignores pas, toi qui fus scribe royal, que la force est fragile, que les puissants disparaissent pour céder la place à de plus puissants qu'eux. Que seul demeure le fleuve-dieu. Le Nil.

Je soumettrai ensuite mon opuscule à ton jugement, sachant par avance ton impartialité, et surtout tes croyances, ou devrais-je dire ton absence de croyances. Ne t'ai-je pas souvent traité d'impie et d'iconoclaste ?

À présent, écoute. Voici l'histoire du dieu maudit. Akhenaton est né au cours de la vingt-deuxième année du règne de son père, Amenhotep III [8].

Sa mère portait le nom de Tiyi. Elle était originaire de Basse-Nubie et, bien que n'étant pas de sang royal, elle appartenait à une famille de haut rang qui se situait dans la lignée de la grande Ahmès-Néfertari, cette reine divinisée qui fut l'épouse du pharaon Ahmosis Ier, celui-là même qui remporta la victoire contre les envahisseurs hyksos [9]. Cette descendance fut souvent rappelée dans les titres qui qualifiaient la reine : « L'héritière, la très favorisée, la maîtresse de tous les pays, la dame de la joie, qui emplit le palais d'amour, la dame du Double Pays, souveraine de Haute et de Basse-Égypte ».

De toute façon, quelle est l'importance de l'ascendance des reines ? Roturières ou non, ne sont-elles pas toujours fécondées par le dieu ? Dans la chambre nuptiale, n'est-ce pas lui qui prend la place du pharaon et qui ensemence sa femme ? Et, neuf mois plus tard, n'est-ce pas l'une des divinités de la naissance qui prend la reine par la main pour la mener, le moment venu, dans la salle où elle mettra au monde ? Oui. Qu'importe l'ascendance des reines...

Tiyi était une femme troublante. Non. « Troublante » n'est pas le mot. Plutôt déconcertante.

Le jour des épousailles, elle était à peine nubile, et son époux juste à peine plus vieux qu'elle. Mais, très vite, les fragilités et les incertitudes de sa jeunesse s'effacèrent, et elle se révéla un être doué d'une forte personnalité et d'un esprit volontaire qui ne laissaient guère insensible.

En faisant d'elle sa reine, Amenhotep III bouleversait la tradition qui exigeait du roi qu'il prît pour Grande Épouse royale une fille de pharaon. Par ce choix, il montra un courage certain, ignorant les critiques, les blâmes et les retombées diplomatiques. Le jour même de son mariage, il fit émettre un nombre impressionnant de gros scarabées commémoratifs, sur lesquels il n'hésita pas à faire graver sous le nom de la reine des informations sur ses modestes origines. On surnomma ces scarabées les « scarabées du lac », appellation qui s'inspirait du vaste bassin d'irrigation près du village de Djaroukhâ, propriété de la reine. C'est ainsi que, du Naharina [10] jusqu'à Sidon, de Meggido au cœur de Babylone, le pharaon imposa le nom de Tiyi.

Le père de Tiyi s'appelait Youya – nom peu usité chez nous –, et sa mère Touyou. Tous deux appartenaient à une élite aisée et instruite. Touyou fut la supérieure du harem d'Amon à Thèbes et occupa une position tout aussi considérable dans le harem de la divinité Mîn [11], à Akhmîm. Quant à Youya, après avoir gravi les échelons de l'administration, il occupa la fonction de lieutenant général de la charrerie. Il faut croire que le pharaon tenait ce couple en haute estime, puisqu'il leur accorda une faveur rare, pour ne pas dire exceptionnelle, en les autorisant à acquérir une chambre funéraire dans la vallée des Rois.

Tiyi avait un frère du nom d'Anen. Lui aussi était un membre très influent du clergé où il exerçait la fonction de « Deuxième Prophète d'Amon » et de « grand des voyants ». Il est mort relativement jeune, bien avant sa sœur, et fut remplacé par un dénommé Samout. Sa dépouille repose dans la nécropole à l'ouest de Thèbes [12].

Au fil des ans, le roi – à l'instar de ses prédécesseurs

– se mit à entretenir un vaste harem dans lequel languissait un essaim d'épouses, aussi bien égyptiennes qu'étrangères. Certaines étaient des filles de basse naissance envoyées à la cour d'Égypte en guise de tribut, d'autres avaient pour parents des vassaux. L'endroit faisait penser à une ruche bourdonnante où virevoltaient des sœurs, des tantes, une myriade d'enfants, et des serviteurs qui veillaient à la bonne marche de l'ensemble. Appartenir au statut d'épouse secondaire ou mineure n'a rien de dégradant. Au contraire, être élue par le roi est toujours un privilège. Quoi qu'il en soit, Tiyi, elle, n'avait rien de commun avec ces créatures : elle était la Grande Épouse royale, la seule. Elle fut la première à adopter les cornes d'Hathor [13] et le Globe solaire dans sa coiffure officielle. La première aussi à se voir associer à l'usage du sistre – tu sais, cet instrument dont la poignée est généralement ornée d'une tête d'Hathor, capable de produire une musique qui apaise les dieux pendant la prière. Tout au long de son règne, Tiyi manifesta une dévotion particulière à l'égard de Maât, fille de Rê, incarnation de la Vérité. Ce rapport, tu pourras en juger, ne sera pas sans conséquence sur l'attitude qu'adoptera Akhenaton à l'égard du monde, des scribes et surtout des artistes.

Ami Keper, j'imagine que tu dois sourire en me lisant, tu te demandes à quoi sert de citer ces détails mineurs, s'ils ne sont pas superflus. Dans cette affaire, vois-tu, tout a son importance. Le destin de mon seigneur fut semblable à une mosaïque formée de pièces disparates. Elles donnent l'impression de n'avoir rien en commun, alors qu'en réalité elles sont intimement liées.

Parlons à présent du père d'Akhenaton.

Amenhotep III – telle est en tout cas mon opinion –

fut un prince sans grand éclat. De taille moyenne, il possédait les traits caractéristiques des Égyptiens du Sud : le menton quelque peu en galoche, le nez allongé, légèrement concave et, comme son épouse, les yeux bridés. S'il appréciait énormément la chasse, il n'avait rien du guerrier accompli. À dire vrai, à quoi lui eût-il servi de guerroyer puisque l'empire était pacifié, et que les ennemis de l'Égypte avaient été mis au pas. Depuis longtemps déjà, Thoutmès Ier avait envahi la Syrie et pris les bords de l'Euphrate. Effaré de découvrir un fleuve qui coulait à contresens des eaux du Nil, il avait fait graver sur une stèle : *« J'ai vu l'eau retournée descendre en remontant. »* Ni le roi de Babylone ni celui du Mitanni[14] n'auraient eu le courage de s'attaquer à notre terre, puisque nous possédions les forces armées les plus puissantes du monde. La Palestine nous était soumise, ainsi que le Soudan dont le territoire s'étendait jusqu'à la terre de Somalie. Chypre et les îles grecques payaient leur tribut sans faillir ; les maisons du trésor regorgeaient d'or. L'Égypte était à son apogée, et nos vassaux tremblaient à nos moindres frémissements. Thèbes était le centre du monde, et le monde était nôtre. Les négoces de la capitale croulaient sous les pourpres de Sidon, le cèdre de Phénicie, les colliers et les bracelets de Tyr, l'encens et la myrrhe. Si l'on ne nous aimait point, on nous craignait ; l'idéal quand on veut conserver sa suprématie sur les peuples. Des eaux du delta, au nord, à la première cataracte, au sud, nos soldats veillaient. Voilà pourquoi Amenhotep III se contenta de conserver l'acquis. Il me semble que le seul exploit militaire qu'il ait accompli au cours de sa longue vie se soit limité à la répression d'une révolte en Nubie, bien qu'il se soit vanté d'être allé plus loin qu'aucun de ses prédécesseurs dans l'action guerrière. Affirmation peu crédible puisqu'il n'avait alors qu'une douzaine d'années. En vérité, tout le crédit de l'opération revint à Merimes, son vice-roi de Kouch [15]. S'il y eut, çà et là, quelques appels au secours lancés par les alliés de l'Égypte – telle la requête de Rib-Addi, le roi de Byblos –, et si le pharaon y donna suite, il se garda bien de se déplacer en personne. Une patrouille, un peu d'or suffisent à faire rentrer les choses dans l'ordre. Mais cela a toujours été ainsi. Un peu d'exagération ne nuit pas dès lors qu'il s'agit pour un souverain de se rehausser aux yeux de son peuple. Il me souvient de ce scarabée commémoratif qui mentait comme mentent les promesses d'ivrogne. À l'époque, sa lecture m'avait tellement amusé que je n'ai pas pu m'empêcher de recopier le texte original. Je le livre :

> *« On m'a annoncé que, dans la région de l'*ouadi [16] *Keneh, dans le désert, il y avait des animaux sauvages, et le pharaon partit le soir avec la nef royale en direction du nord. Il parcourut une belle distance et arriva à l'*ouadi *le matin. Sa Majesté se présenta à cheval, derrière lui toute l'armée. Tous les fonctionnaires et les soldats furent convoqués pour repérer les animaux sauvages, et même les recrues. Le roi ordonna alors d'enclore les animaux sauvages avec des murs et des fossés, et il s'attaqua à tous ces animaux sauvages. Il y avait en tout cent soixante-dix taureaux. Ce jour-là, le butin du souverain se monta à cinquante-six taureaux. Le roi passa quatre autres journées à chasser, sans accorder le moindre repos à ses chevaux, et captura encore une fois quatre taureaux. Cela*

> *fait un total de quatre-vingt-seize animaux sauvages*[17]. »

On peut pouffer de rire. Quatre-vingt-seize taureaux en quatre jours ! Le texte ne précise même pas quelle arme le pharaon utilisa pour accomplir pareil exploit. Et puis, louer à outrance les mérites du maître de l'Égypte était chose normale. Le souverain se devait d'affirmer sa puissance, sa toute-puissance.

Des langues de vipère se plaisaient à chuchoter dans les maisons de joie de Thèbes que la mère d'Amenhotep III était une étrangère, une Mitannienne, et que son nom, Moutemouia – « Mout est dans sa barque sainte » –, nom pourtant purement égyptien, lui avait été donné lors de son arrivée à la cour. Ce sont des commérages. Lorsque les courtisans s'ennuient, ils parlent. Et leurs mots sonnent plus creux que la coque des barges qui glissent sur le Nil.

À propos de cette femme existe une légende ; une de plus dans ce pays, véritable légende en soi. On raconte qu'il y a bien longtemps Amon-Rê, le roi des dieux, s'éprit d'une belle jeune fille qui vivait dans une ville du Sud appelée Thèbes. Il y envoya Thot, son messager à tête d'ibis, « le Grand Caqueteur », dont on dit qu'il transmit le verbe par son bec démesuré. Celui-ci découvrit que la jeune fille, Moutemouia, était effectivement la plus belle du pays. Seulement voilà, elle était mariée au roi Thoutmès IV et lui était fidèle. Amon-Rê conçut alors une ruse pour la séduire. À la tombée de la nuit, il s'introduisit dans la chambre où la jeune fille dormait. Son parfum divin la réveilla. La vue de la beauté d'Amon-Rê la bouleversa. L'amour d'Amon entra dans son corps, et le palais s'emplit du parfum du dieu, aussi doux que les senteurs du pays de Pount[18]. Neuf mois plus tard, Moutemouia donna naissance à un fils. Conformément à la volonté d'Amon-Rê, l'enfant reçut le nom d'Amenhotep III, en hommage à son grand-père paternel.

Mais laissons les légendes et les dieux, et revenons au monde des hommes.

Le crépuscule s'étend sur ma maison. Je sens monter l'odeur du poisson frit et celle des graines de lotus grillées. À plus tard, mon ami, mon frère Keper.

Keper à Anoukis

Anoukis, mon frère... Tu délires. Tu enjolives. Cette pulsion irrésistible qui t'a toujours entraîné à trouver ne fût-ce qu'un grain de beauté même au sein de la laideur fausse ta vision des êtres et du monde. Laisse-moi te dire d'emblée que la reine Tiyi était une garce ! Oui, je sais, l'expression te choque, mais je n'en trouve pas d'autre et je me dois de pousser ce cri du cœur, sinon je me trouverais dans l'incapacité d'aller plus avant dans ma réponse. À présent que me voilà soulagé, accepte mes remerciements pour ton envoi. Je suis sensible à la confiance que ton cœur me porte, moins à tes allusions concernant mes croyances, ou mon « absence de croyances ». Décidément, il est écrit qu'aussi longtemps que toi et moi serons sur cette terre de Kemi nous serons amis par nos différences. À ce que je vois, tu n'as rien perdu de tes fâcheuses habitudes : encore à persifler ! Oh, avec infiniment de délicatesse, je le reconnais. Mais je suis assez finaud pour détecter la tape derrière la caresse. Qu'importe ! Il est trop tard pour changer. D'ailleurs, y a-t-il un âge propice au changement ? Narmer, mon fils que tu connais bien, vient de fêter ses trente ans. Et il a gardé le même caractère insupportable !

Venons-en au fait.

Oui, te disais-je, Tiyi n'était qu'une garce, doublée d'une castratrice. À cela, j'ajouterai cette propension qui était la sienne à vouloir imposer sa loi à son entourage, à manifester son avis quand bien même personne ne le lui demandait. Oui, tu as raison, elle n'était pas de sang royal. De surcroît, elle n'avait ni la grâce des filles de Qadesh[19] ni la beauté de celles de Sidon. Troublante ? Est-ce ainsi que tu l'as perçue ? Amusant. Je reconnais bien là l'indulgence qui t'a toujours habité. Je l'ai vue à maintes reprises. Et je la revois encore comme si c'était hier, avec ses yeux légèrement bridés, son nez évasé aux narines, son menton fuyant et cette fossette creusée dans ses joues. Je revois surtout cette bouche maussade, formée de lèvres fines et sévères qui dégageaient une expression de constant dédain. Dédaigneuse ! Voici le terme que je cherchais. Cette créature était pétrie de dédain. Elle n'a eu de cesse de parader, contrairement aux usages anciens, aux côtés de son illustre époux. Toutes les occasions étaient bonnes. Et le pharaon laissa faire, ce qui n'a rien d'étonnant lorsque l'on sait l'influence qu'elle avait sur lui ; tous ceux qui les ont connus peuvent en témoigner : Amenhotep III était sous son emprise.

Et puisque je viens de mentionner le pharaon, je me demande comment tu peux te permettre d'écrire qu'il fut « un prince sans éclat » ? As-tu toute ta raison ? Ou bien l'affection que tu portais à « Celui qui fut bénéfique à Aton » brouille-t-elle ton jugement ?

Amenhotep fut indiscutablement un grand souverain,

fastueux et voluptueux. As-tu oublié qu'il porta le prestige de notre pays à son apogée ?

Dès lors que nos rivaux – je veux parler de la Babylonie et du Mitanni – s'étaient décidés à établir avec nous des relations harmonieuses, notre richesse n'a cessé de croître. De toute l'étendue de l'empire ont afflué ors et trésors. L'absence de chômage nous a même conduits à recruter des travailleurs étrangers ; ce qui ne m'enchantait guère puisque tu n'es pas sans savoir que j'ai en horreur les étrangers et leurs mœurs vulgaires : ils puent et ils ont le corps recouvert de poils ! De plus, les autorités leur permettent de pratiquer leur religion et de s'adonner à leurs rites ! J'ai toujours pensé que trop de liberté nuisait à la liberté. Mais je préfère éluder ce sujet, sinon tu vas encore me traiter de sans-cœur. D'ailleurs, je reconnais que la présence de ces travailleurs étrangers apporte quelques avantages. Tu as mentionné le bassin d'irrigation de Djaroukhâ. Son creusement a nécessité pas moins de deux cent cinquante mille ouvriers ! La plupart d'entre eux venaient d'ailleurs. Étant donné le gigantisme de l'ouvrage, il est probable que, sans cet apport de main-d'œuvre, la reine Tiyi et son époux seraient morts avant d'avoir pu naviguer sur ces eaux. Rappelle-toi le texte rédigé à l'époque :

> « *En l'an II, au troisième mois de la saison d'*Akhet, *le premier jour. Sa Majesté donna l'ordre de creuser un lac pour la Grande Épouse royale Tiyi, de trois mille sept cents coudées*[20] *de longueur et de six cents coudées de largeur dans la ville de Djaroukhâ. Sa Majesté célébra la Fête de l'Inauguration du lac le seizième jour du troisième* Akhet. *Pour cela, Sa Majesté*

traversa le lac dans la nef royale Aton Resplendit, *poussée par les rames*[21]. »

Il me souvient que du sable retiré était née une importante élévation sur laquelle furent plantés de magnifiques arbres et des essences rares. Entre nous, quelle folie que ce don à la reine ! Tant de sueur versée, tant de bras épuisés pour que la dame s'offre une balade en bateau. Les hommes amoureux sont fous. Aton soit loué, la maladie de l'amour a eu la générosité de m'épargner. Oh ! Certes, j'ai bien aimé feu mon épouse Keftiou ; mais « bien aimer » n'est pas aimer. Pas au point – comme tant d'autres écervelés – de me consumer le cœur et la peau.

Oui, aux yeux du monde connu l'Égypte était un havre. Les commerces étaient florissants, les artistes regorgeaient de commandes, et les prostituées ont rarement aussi bien gagné leur pitance ! Jamais l'État ne se trouva aussi bien organisé, jamais les caisses publiques n'avaient été aussi pleines, jamais on ne bâtit autant de merveilles. Si Djoser ou Kheops construisirent les monuments que nous côtoyons, c'était dans un but purement religieux. Amenhotep III, lui, construisit pour le luxe et la volupté. Il faisait bon vivre dans le Double Pays en ce temps-là.

À présent, je reviens à toi. Dis-moi, mon ami, la vieillesse aurait donc accompli en toi tant de ravages que tu oublies d'évoquer cet architecte de génie qui portait le même nom que le pharaon ? Je veux parler d'Amenhotep, le fils du scribe Hapou. Le souverain et lui ont formé un admirable duo, autrement plus intéressant que celui que représentait le pharaon et cette peste de Tiyi.

Ceux qui ont connu le fils de Hapou – et je m'honore d'avoir fait partie de ceux-là – disaient de lui qu'il était non seulement un sage d'entre les sages, mais aussi un prodigieux magicien, ce qui explique sans doute qu'il fut nommé chef des secrets du *Kep*. Tu te souviens bien sûr de ce qu'est le *Kep*... Dans le cas contraire, je te rafraîchirais la mémoire.

Le fils de Hapou, cet homme aux dons multiples, était d'un milieu modeste, originaire de la ville d'Athribis, dans le delta. Très tôt, il avait été promu scribe des recrues ; ce qui voulait dire qu'il était responsable des forces destinées aux corvées et au recrutement des soldats. Bientôt, il devint le contremaître de tous les travaux du pharaon. C'est lui qui érigea la « Maison de Nebmaâtrê est la splendeur d'Aton », le somptueux palais situé sur la rive gauche du fleuve qui soulève encore aujourd'hui l'admiration des voyageurs. Le long des étangs, parsemés de fleurs de lotus, nagent poissons et canards. Entre les plantes, bruissent des libellules et des oiseaux au plumage bigarré. Le plafond de la grande salle ressemble à un ciel d'azur dans lequel voltigent pigeons et papillons rouges. L'or scintille sur les murs, des plantes d'ornement en verre soufflé s'épanouissent dans des senteurs d'encens et de myrrhe. Je fus témoin de la construction de cette résidence. Mes yeux sont encore pleins de la vision de ces barges qui, le ventre rond, chargées de granit, descendaient le fleuve depuis le pays de Kouch pour remonter le canal reliant le Nil au chantier. Bois de cèdre venus de Phénicie, albâtre et calcaire, les plus nobles matériaux furent utilisés pour arracher des sables du désert cet édifice royal !

On doit aussi au fils de Hapou le temple funéraire, qu'une allée majestueuse relie au palais royal. Royaume de la beauté, havre de la perfection et de l'harmonie. Rien ne manque : pylônes, salles hypostyles, sanctuaires, avec, tout autour, à l'intérieur d'une enceinte de brique, des greniers, des celliers, des bâtisses de toutes sortes et, dominant l'enceinte, une tour munie de créneaux. L'édifice est entièrement bâti en grès fin et blanc. Son lac reçoit les hautes eaux du Nil où l'on peut voir évoluer poissons et canards. À l'heure du levant, ses murs flamboient, brûlent, et aveuglent de leur lumière voyageurs et errants. Inversement, lorsque le crépuscule monte de la terre, le pavement d'argent qui recouvre le sol devient brasillement ; mer de métal figée.

Au cœur même du temple se dressent de nombreuses statues du roi et des dieux, taillées dans du granit d'Éléphantine. Elles affleurent l'azur et semblent en prière devant Aton. Mais le spectacle qui m'impressionne le plus est celui des deux colosses qui gardent l'entrée du temple au bout d'une longue allée bordée de chacals en pierre. Conçus chacun dans un seul bloc de grès, ils ont une hauteur de plus de trente coudées et sont dressés sur un socle de quatre coudées. Ils représentent le roi assis au côté de la reine. On peut les apercevoir du bout de l'horizon. Sentinelles du jour et de la nuit... Toutes ces merveilles n'auraient jamais existé si telle n'avait pas été la volonté de ce roi que tu qualifies si promptement de « prince sans éclat ».

Il est aussi un autre passage de ta missive qui m'a surpris. Serais-tu aussi naïf que le nouveau-né ? Aussi enfant que l'enfance ? Comment peux-tu t'offusquer de la trahison, que ce soit celle de Toutankhamon ou de Horemheb ? Aurais-tu oublié que le plus souvent l'homme mord la main qui le caresse ? Méfiance, méfiance de tout ! Des êtres, des choses, des animaux – les premiers étant plus dangereux que les derniers. Pour te rafraîchir la mémoire, je te rappelle les recommandations du vieux roi Amemhêt à son fils alors qu'il venait d'échapper à une conjuration de palais. J'en ai presque fait ma lecture quotidienne. Je les ai recopiées pour ton plaisir :

> « *Écoute ce que je te dis,*
> *afin que tu sois roi sur la terre,*
> *que tu domines les Pays,*
> *et que tu fasses mieux que le bien :*
> *Arme-toi contre tes subordonnés.*
> *Seul, ne t'approche pas d'eux.*
> *N'aime aucun frère,*
> *ne connais aucun ami,*
> *ne te fais pas de confidents.*
> *Il n'y a rien de parfait en tout cela.*
> *Lorsque tu dors, surveille toi-même ton cœur,*
> *car un homme n'a personne*
> *au jour du malheur.*
> *J'ai donné aux pauvres et j'ai nourri l'orphelin.*
> *Et j'ai reçu l'homme de rien comme celui qui était quelque chose.*
> *Mais ceux qui ont mangé mon pain se sont révoltés.*
> *Celui à qui j'avais tendu la main a suscité la terreur*
> *Ceux qui avaient porté mon lin fin ont tourné leurs yeux vers moi comme vers un ennemi.*
> *Ceux qui s'étaient parfumés de mes myrrhes m'ont trahi*[22]. »

Médite là-dessus, ami Anoukis.

Nous reparlerons sûrement de toutes ces choses, de la

veulerie des hommes, de la faiblesse des forts. En attendant, prends garde à ne pas trop te gaver de graines de lotus grillées. Elles provoquent des flatulences et font gonfler l'estomac. Ta bedaine n'en a guère besoin...

Le Caire, de nos jours

Judith Faber arrêta sa lecture et leva les yeux vers l'homme assis à l'autre bout de la table.

— Alors, que pensez-vous de cet échange épistolaire, professeur Lucas ? Étonnant, n'est-ce pas ?

L'homme à qui elle venait de s'adresser haussa les épaules et se contenta de sourire avec condescendance.

La jeune femme reprit :

— Vous n'y croyez pas. Depuis le début, vous n'y avez jamais cru.

— Quelle réponse espérez-vous ? Ne suis-je pas prêt à considérer toutes vos hypothèses ? Ne suis-je pas tout ouïe ?

Judith rejeta la tête en arrière en fermant les yeux pour se protéger du rai de soleil qui fusait à travers les persiennes entrebâillées.

Au-dehors, la capitale égyptienne bourdonnait comme à l'accoutumée, empêtrée dans ses embouteillages apocalyptiques et sa poussière. Érigé à quelques mètres de la place Midan el-Tahrir – sans doute l'une des places les plus grouillantes de la planète –, le musée du Caire n'était pas, loin s'en faut, l'endroit idéal pour travailler ; de surcroît, la climatisation était en panne depuis deux jours.

Rien d'inhabituel en cela ; en Égypte, lorsque les choses fonctionnent sans anicroche, c'est qu'elles n'ont pas encore été conçues.

Judith se redressa et demanda avec une pointe de lassitude dans la voix :

— Ces deux colosses évoqués par le dénommé Keper, hauts de plus de trente coudées... J'imagine qu'il s'agit des colosses dits de Memnon ?

— Sans aucun doute. Ce sont, ou plutôt c'étaient, deux statues monolithiques qui figuraient le roi et la reine à l'entrée du temple funéraire situé sur la rive gauche de Thèbes. L'architecte les avait fait tailler dans le quartzite de la montagne rouge, le djebel El-Ahmar, près d'Héliopolis, et elles furent transportées sur près de sept cents kilomètres, à contre-courant du Nil. Une prouesse ! Lorsque les Grecs aperçurent la statue qui représentait Amenhotep III, ils crurent y reconnaître Memnon, un héros troyen, mort au combat et pleuré au lever du jour par sa mère Éos, déesse de l'Aurore. D'où cette appellation de « colosses de Memnon ». Mais ce n'est pas tout. À la suite du tremblement de terre qui détruisit le temple, le colosse du nord – celui représentant le pharaon – se fissura et s'effondra en partie. Depuis cette époque se produit un curieux phénomène physique : la pierre fissurée, chauffée par le soleil du matin, vibre et fait entendre ce que l'on a coutume d'appeler le « chant de Memnon » ; ainsi le corps du héros troyen ressuscite-t-il chaque matin lorsque sa mère l'Aurore apparaît. Joli conte, vous ne trouvez pas ?

Judith répliqua en fronçant les sourcils.

— Crevons l'abcès ?

Il approuva.

— Vous êtes convaincu que cette correspondance est un faux.

— Un faux. Certainement.

Elle tendit la main vers la carafe posée sur un coin de la table et se versa un verre de jus de mangue encore frais. Un délice, songea-t-elle en buvant une lampée ; la mangue égyptienne a une saveur et un parfum uniques au monde.

— Je me demande, reprit-elle, si ce n'est pas votre côté cartésien qui vous rend si méfiant et vous empêche de prendre du recul.

Elle pointa l'index sous le menton de son interlocuteur.

— Vous êtes français, professeur Lucas. Il est là, votre problème.

— Parce que vous croyez que vous, les Allemands, êtes moins « cartésiens ». Allons ! Soyons sérieux. Ne sommes-nous pas des scientifiques avant tout ? Au cours de votre toute jeune carrière, vous avez dû, comme moi, être confrontée à des faux. Fausses pierres, faux scarabées, fausses découvertes. Souvenez-vous de l'homme de Piltdown !

Judith adopta un air perplexe.

— Bien sûr. Vous ne pouvez pas savoir. Vous êtes bien trop jeune. Et...

Elle le coupa net.

— Quel âge avez-vous, professeur ? Soixante-cinq, soixante ans ?

— Vous me flattez. Soixante-neuf très exactement.

— J'en ai vingt-huit. Alors cessez de jouer au patriarche, je vous en prie.

L'égyptologue se mit à rire :

— Vous avez raison. Vous êtes une grande fille. Bon.

Puis-je reprendre mon récit ? Cette histoire est l'un des plus grands scandales paléontologiques du début du XXe siècle. Le 18 décembre 1912, Arthur Woodward, célèbre paléontologue, président de la Société géologique de Londres, se présente dans l'amphithéâtre de ladite société accompagné d'un géologue amateur du nom de Charles Dawson. Devant la noble assemblée, Woodward annonce que son acolyte et lui ont déterré à Piltdown, au sud de Londres, plusieurs fragments de crâne, une demi-mâchoire et quelques dents ; le tout appartenant, affirme le paléontologue, à un être humain qui aurait vécu il y a près d'un million d'années. L'instant de surprise passé, Woodward soumet à ses collègues la reconstitution qu'il a faite de la tête de l'homme de Piltdown. C'est l'ovation. La gloire. Les ossements de Piltdown deviennent les plus célèbres du monde !

— Amusant... Mais, entre nous, vous auriez pu prendre un autre exemple. Je reconnais là votre vieux ressentiment gaulois à l'égard de la perfide Albion.

Philippe Lucas éluda le commentaire.

— Néanmoins, pour certains scientifiques, au vu des découvertes postérieures, l'homme de Néandertal ou l'homme-singe de Java, l'homme de Piltdown posait des problèmes. Il était comme la pièce d'un puzzle qui refuse de s'insérer dans l'ensemble. Une pièce rapportée. Les années s'écoulèrent. En 1948, à plus de quatre-vingts ans et aveugle, Woodward dicta son dernier livre *The Earliest Englishman*, « le premier Anglais », et il décéda tout de suite après.

— Pour son bien, j'imagine ?

— Vous ne croyez pas si bien dire. En 1953, trois savants mondialement réputés obtinrent la permission d'analyser les fossiles. Ils notèrent que le crâne et la mâchoire avaient été teintés artificiellement au bicarbonate de potassium pour reproduire la coloration due au grand âge ! Le microscope permit de constater que, si les molaires et les canines étaient usées, comme c'est le cas pour les hommes âgés, c'est qu'elles avaient été limées pour imiter l'usure des dents humaines. La dentine sous la surface était blanche. On dut se rendre à l'évidence : les savants avaient été bernés pendant quarante et un ans ; l'Adam anglais était un faux ! Le crâne appartenait à un homme moderne, et la mâchoire était celle d'un orang-outan. Quant aux fossiles de mammifères trouvés sur le site, bien qu'authentiques, ils ne provenaient pas d'Angleterre. Une dent d'hippopotame venait de Malte ; une autre d'un éléphant de Tunisie. Le coup de grâce fut donné en 1959, lorsque les ossements furent datés au carbone 14 : le crâne appartenait au Moyen Âge.

Il désigna les documents et conclut :

— Pour moi, ceci pourrait être une autre affaire Piltdown. Je sens la mystification à mille lieues. Cette histoire de fellah qui aurait retrouvé ces rouleaux en labourant son champ ne me paraît pas digne de foi.

— Et pourtant, n'est-ce pas ainsi que les fameuses lettres dites de Tell el-Amarna[23] furent découvertes ? Cinquante petites tablettes d'argile séchée au soleil. Une véritable correspondance diplomatique entre les diverses capitales des États contemporains et la cour d'Égypte. À cette époque, vers 1887 si ma mémoire est bonne, la découverte sembla trop belle pour être vraie, et de nombreux savants considérèrent ces tablettes comme des faux. Cette correspondance que nous avons sous les yeux m'a été confiée par quelqu'un digne de confiance. Vous le connaissez mieux que moi.

— Hassan El Asmar ? Évidemment. C'est l'un des

plus grands spécialistes de la période dite amarnienne. C'est aussi un ami.

— Vous admettrez que ce n'est pas un plaisantin.

— Certainement pas. Mais j'ignore si celui qui lui a apporté ces lettres n'en est pas un... de plaisantin. J'attends avec impatience qu'il rentre de Londres pour lui dire tout le bien que je pense de cette affaire.

— Très bien. Alors imaginons que j'abonde dans votre sens. Supposons que vous ayez raison et que nous soyons devant un canular.

Lucas fronça les sourcils.

— Je vous demande pardon ?

— Je vous le répète : il est possible que nous soyons devant un faux. Mais qu'est-ce qui nous empêche d'en débattre ? Dans quelques jours, les rouleaux seront remis aux autorités qui se chargeront de les envoyer à Londres pour un examen approfondi.

— Que proposez-vous, alors ?

— Que nous fassions comme si ces lettres étaient authentiques.

Elle ajouta avec une expression désinvolte :

— Par jeu.

Un long silence s'écoula avant qu'un léger sourire n'apparaisse sur les lèvres de l'égyptologue.

— Vous avez un avantage de taille, Judith Faber : votre charme. Déjà, toute jeune, quand vous suiviez mes cours à la Sorbonne, vous en usiez auprès de vos collègues comme d'une arme.

Judith croisa les bras et attendit la suite.

— Avez-vous toujours l'intention de publier un ouvrage sur Akhenaton ?

— Plus que jamais.

— C'est un travail périlleux.

— M'en croyez-vous incapable ?
— Je n'ai pas dit cela. Je vous préviens, c'est tout.
Il insista avec une gravité un peu surprenante :
— Vous êtes vraiment décidée à vous lancer dans cette écriture ?
— Professeur, rien ne me fera changer d'avis. D'ailleurs, pour tout vous dire, j'ai commencé.
Le professeur Lucas la considéra un long moment, puis :
— Je veux bien décrypter avec vous ces écrits. Au pire, leur lecture enrichira vos connaissances sur le sujet.
Il ajouta :
— Lorsque j'étais votre professeur, vous étiez la plus assidue de mes élèves, et vous faisiez partie des meilleurs. En revanche, je n'ai jamais pu vous guérir de cette tendance quasi maladive qui vous portait à la rêverie. Je vous le répète : l'archéologie est une science et, en tant que telle, elle exige la plus grande rigueur. Promettez-moi de revenir sur terre et de faire preuve de plus de sérieux à l'avenir.
— Même si l'on nous apprend que le manuscrit est authentique ?
— C'est impossible.
— Vous êtes bien sûr de vous.
— Vous me le promettez ?
— Je vous le promets.
Philippe Lucas tendit la main.
— Passez-moi les feuillets, je vous prie.
L'égyptologue ôta ses lunettes, essuya les verres avec le bas de sa cravate, et les replaça sur son nez.
— J'aimerais revenir au début de la lettre du dénommé Anoukis, au passage qui évoque le physique d'Akhenaton : *« J'aimais sa démarche lente et sa silhouette*

trouble, ses épaules étroites, sa poitrine saillante, ses hanches de femme et ses cuisses charnues. J'aimais boire à ses lèvres épaisses, et je trouvais même de la noblesse à son visage émacié. »

Il releva la tête avec une expression amusée.

— Suis-je dans l'erreur ou l'auteur affirme que « son bien-aimé » souffrait de malformations ?

— Je sais que vous connaissez bien tous les dessins, toutes les statues qui représentent Akhenaton, mais...

Elle se déplaça vers l'ordinateur installé dans un coin de la table et pianota sur le clavier. Deux images apparurent.

— Approchez-vous, professeur. Regardez... Point de sexe. Épaules chétives. Hanches de femme, cuisses lourdes, bras de femme, ventre saillant, doigts effilés. Sur la fresque, à gauche, ce sommet du crâne en forme d'œuf, et, sur la fresque suivante, Akhenaton et Néfertiti. Vous ne trouvez pas curieux ce mélange des traits ? Lequel des deux visages est le plus féminin ? Celui de la reine ou celui de son époux ?

Son interlocuteur hocha la tête.

— Personnellement, je ne vois rien de très surprenant. Quant à l'absence de sexe constatée sur certaines statues, elle pourrait s'expliquer par une volonté d'Akhenaton de s'identifier à Osiris. Elle figure le roi mort divinisé qui a perdu son membre, lequel doit être retrouvé par Isis, incarnée dans la reine.

— Et la morphologie générale ? Elle ne vous pose pas un problème ?

— Je vois bien où vous voulez en venir, mais nous ne sommes pas – comme certains essaient encore de nous le faire croire – en présence d'un homme qui aurait souffert d'une quelconque maladie. C'est Elliot Smith, professeur d'anatomie à l'École de médecine du Caire qui, en 1907, prononça le premier les mots de « syndrome de Babinski-Fröhlich ».

— Un syndrome lié à une lésion de l'hypophyse.

— J'en connais les signes par cœur : « Obésité caractéristique qui atteint surtout le tronc et les racines des membres et une dystrophie génitale. Arrêt du développement des organes sexuels chez le sujet jeune. Léger degré d'hydrocéphalie. Quand la maladie atteint l'adulte, elle est responsable d'impuissance et de l'inversion des caractères sexuels secondaires. »

Il s'empressa d'enchaîner :

— Cela n'a pas de sens. Si Akhenaton avait été atteint de ce syndrome, il aurait été incapable d'engendrer. Or nous savons qu'il a eu six enfants. Six filles. Et je ne compte pas ceux qu'il a pu avoir avec ses concubines.

Philippe balaya l'air d'un mouvement vif de la main en s'exclamant :

— Billevesées !

Il allait poursuivre, mais Judith l'arrêta net.

— Vous y allez fort quand même ! Qu'est-ce qui nous prouve que les enfants d'Akhenaton furent bien de lui ? Ne pouvons-nous supposer qu'il s'agirait tout simplement d'une « façade » destinée à masquer sa personnalité androgyne ? Il aurait pu nommer un « géniteur officiel »...

— Vous perdez la tête ! Et le sacré, qu'en faites-vous ? Vous touchez là au cœur des principes qui gouvernaient l'Égypte. Le pharaon est avant tout un dieu. Jamais, au grand jamais, il n'aurait accepté que son épouse se fasse engrosser par un « mortel ». Nul n'aurait pu engendrer à sa place des héritiers de sang royal, rompant ainsi le sacro-saint tabou de la filiation divine. C'est impensable ! En tout cas, pas six fois ! D'ailleurs, jamais dans l'histoire de l'Égypte pharaon ne fut autant représenté en compagnie de son épouse dans les moindres gestes de sa vie privée, et jamais reine ne fut aussi omniprésente au côté d'un souverain. Croyez-vous que ce soit là une attitude compatible avec la théorie que vous suggérez ? C'est inepte !

La femme tendit la main vers son interlocuteur en souriant.

— Puis-je reprendre ?

Il acquiesça, l'œil sombre.

— Les maladies qui frappent l'homme ne le frappent pas systématiquement de la même façon ; pas plus qu'un patient ne réagit de la même manière à la prise d'un médicament. Ce n'est pas seulement le fait d'être attaqué par un virus qu'il faut analyser, c'est la gravité de l'attaque, son degré, son intensité et enfin sa précocité. Akhenaton aurait parfaitement pu souffrir d'un syndrome de Fröhlich léger. Ce qui lui aurait conféré cette apparence, ces traits féminins, sans pour autant l'empêcher d'avoir des enfants.

Philippe Lucas secoua la tête.

— Tous les médecins sensés vous le diront : il n'existe pas de « Fröhlich léger ». Quand bien même, je vous le répète, un homme atteint par cette affection pourrait miraculeusement avoir un enfant, mais pas six !

— Que pensez-vous des autres hypothèses qui circulent ?

— Je ne suis pas endocrinologue. Mais, *a priori*, je n'y crois pas.

— J'ai envoyé un courrier électronique à un ami spécialiste en endocrinologie, et j'y ai joint certaines reproductions des divers portraits de notre pharaon et de ses filles. J'attends ses réponses.

— Je ne veux pas vous ôter vos illusions mais, à mon humble avis, votre ami ne vous apprendra rien de nouveau.

La voix nasillarde d'un muezzin envahit tout à coup la salle du musée.

On eût dit que deux mondes se télescopaient ; le nouveau et l'ancien. Celui d'un dieu unique, loué aujourd'hui par plus de deux milliards d'hommes et celui d'un dieu maudit qui, quelques milliers d'années plus tôt, avait tenté de s'imposer.

L'égyptologue poursuivit en élevant la voix d'un ton :

— Réfléchissez. Qu'est-ce qui caractérise l'existence d'Akhenaton sinon la volonté de rupture ? « Rupture » est le maître mot de sa vie : il rompt avec la capitale, Thèbes ; il rompt avec les prêtres d'Amon, défend la prédominance d'un dieu sur tous les autres, fait de son épouse, Néfertiti, une sorte de double de lui et rompt avec la tradition architecturale, optant délibérément pour l'édification de temples à ciel ouvert.

Il pointa son doigt sur l'écran de l'ordinateur.

— Cette similitude de traits féminins entre Akhenaton et son épouse s'explique aussi par ce désir de rupture. Sous le règne du jeune pharaon, les différences entre l'homme et la femme se réduisent, et même se désintègrent. Ce que vous interprétez comme une malformation physique n'est que le symbole de la rupture avec l'art ancien. Ces reproductions, disons (il parut chercher le mot), caricaturales de lui et des membres de sa famille sont voulues. Dites-vous qu'Akhenaton était porté par nature et par défi à aller jusqu'au bout de ses idées. Il va donc exiger des artistes qui l'entourent – qu'il s'agisse du sculpteur Bek ou de son homologue Djehoutymes – qu'ils inventent un « type humain » qui combinerait l'aspect général des deux sexes au point d'en rendre la silhouette presque interchangeable. Pour preuve...

Il pianota sur le clavier, faisant apparaître une nouvelle image.

— Regardez. Cette fresque représente Akhenaton, Néfertiti et trois de leurs filles. On remarque bien la morphologie « anormale » de ces dernières. Regardez la fillette du centre. Vous pouvez bien noter ce bassin trop large pour son âge, un bassin de femme incompatible avec des proportions enfantines. De même, la tête est beaucoup trop grande par rapport au corps.

— Et l'arrière du crâne est en forme d'œuf...

— Oui.

— Là aussi, vous considérez qu'il s'agit d'une exagération volontaire ?

— Parfaitement. Je maintiens fermement qu'il ne peut être question de malformation. Si c'était le cas, l'allongement du crâne n'aurait pas disparu des reproductions postérieures lorsque les filles eurent grandi. Et pour ce qui est de la forme du crâne, l'hypothèse « hydrocéphale » soulevée par certains ne vaut même pas que l'on s'y attarde.

— Pourtant, nous savons que, parmi les nombreux symptômes de cette maladie, on note un déséquilibre endocrinien.

— Ce qui, dans le cas qui nous occupe, ne veut strictement rien dire. Généralement, on trouve deux causes essentielles à l'hydrocéphalie : soit elle est due à une malformation congénitale et frappe dès la naissance ; soit elle est provoquée par un traumatisme crânien – une chute de cheval, par exemple – une méningite, une tumeur cérébrale. Dans les deux cas, tous les médecins vous le diront : la durée de vie d'un hydrocéphale est infiniment réduite. Si Akhenaton en avait été affecté dès la naissance, il serait mort bien avant d'avoir régné.

— Vous venez de mentionner la chute de cheval : il n'aurait pas été possible que le pharaon en fût victime plus tardivement ?

— Non. Les fresques qui le représentent datent pratiquement de son accession au trône, c'est-à-dire aux alentours de sa quinzième ou seizième année. On y voit bien la forme ovoïdale de son crâne. On peut donc supposer sans risque d'erreur qu'il était *déjà* malade. Or nous savons qu'il a régné dix-sept ans. Atteint d'hydrocéphalie, jamais il n'aurait pu vivre aussi longtemps. D'ailleurs, quand bien même il aurait fait partie de ces malades miraculés qui défient les pronostics de la science, je ne vois aucune raison pour que ses enfants et son épouse soient représentés eux aussi avec un crâne difforme.

— Détrompez-vous, professeur Lucas. La raison existe. Je vous en parlerai tout à l'heure.

Elle prit une brève inspiration.

— Résumons-nous. Selon vous, qu'il s'agisse de la silhouette féminine du pharaon ou de la configuration de son crâne, toutes ces « bizarreries » sont à mettre sur le compte d'une nouvelle forme d'art voulue par Akhenaton.

— Parfaitement.

— Eh bien, professeur, je pense que vous avez tort. Partiellement du moins. Jusqu'à preuve du contraire, je veux bien admettre que nous ne sommes pas devant une affection pathologique grave. Mais il n'en demeure pas moins que nous ne pouvons pas nous contenter d'expliquer le physique – pour le moins ambigu – du pharaon en nous limitant à affirmer qu'il s'agit tout simplement d'une « nouvelle forme d'art », le fameux « art amarnien ». Je n'y crois pas. Ainsi que vous venez de le souligner, lorsque Akhenaton accède au pouvoir, il n'a pas plus d'une quinzaine d'années. Cinq ans plus tard, il fonde sa cité solaire, Akhetaton. Vous croyez vraiment qu'un gamin – car il n'était qu'un gamin – eût été capable de concevoir comme ça (elle claqua les doigts) du jour au lendemain, « une nouvelle forme d'art », et sans aucune influence extérieure ? Je réfute cette idée. Si « nouvelle forme d'art » il y eut, elle n'a pu qu'être inspirée *par le physique et par la personnalité* d'Akhenaton et...

— Je vous arrête. La jeunesse du pharaon n'est en rien un handicap. Ainsi que le fait remarquer le chercheur Marc Gabolde, Néron, qui se considérait lui aussi comme un « souverain solaire », fut empereur à dix-sept ans et mourut à trente et un ans, sensiblement au même âge qu'Akhenaton. Élagabal, pareillement adorateur du soleil, accéda au trône à quatorze ans et mourut à dix-huit. Tous deux, comme Akhenaton, s'efforcèrent d'imposer leur dieu à leurs concitoyens. J'en déduis que rien ne s'opposait donc à ce qu'un jeune pharaon cherchât à instaurer une nouvelle vision de l'art.

Judith secoua la tête.

— Je ne le crois pas. Pas un instant.

L'égyptologue croisa les bras et questionna avec un calme feint :

— Dans ce cas, quelle est votre théorie ?

— La plupart des textes nous décrivent un Akhenaton amoureux de la vérité. De plus, le dénommé Anoukis confirme que la mère du souverain s'identifiait à Maât, la déesse de la Vérité. Et nous savons l'influence que Tiyi eut sur son fils. Je suis persuadée qu'Akhenaton était victime d'une maladie de nature endocrinale, et que c'est uniquement dans un souci de vérité qu'il exigea des artistes qu'ils le représentent *tel qu'il était,* c'est-à-dire grandement efféminé. Presque femme. Ce n'était donc pas une « nouvelle forme d'art », en tout cas pas telle que nous l'entendons de nos jours, mais le reflet exact, en tout point conforme, de ce qu'était *réellement* Akhenaton. À cela j'ajouterai que l'homosexualité du souverain ou, si cela vous choque moins, sa bisexualité, me paraît être elle aussi une évidence.

Lucas laissa échapper un petit rire.

— À cause du contenu de ces papyrus ? Parce que le mystérieux Anoukis laisse entendre qu'Akhenaton et lui étaient amants ? Allons, Judith, c'est absurde !

— Non. Ces écrits ne font que confirmer une réalité historique. Je vous le prouverai, soyez-en convaincu. Oh, je sais ! Un pharaon homosexuel, ça fait désordre. Si de nos jours subsistent encore chez les bien-pensants des réminiscences de tabous dès qu'on aborde ce sujet, il n'en était pas de même dans l'Antiquité. Être homosexuel dans la Grèce ou l'Égypte antiques n'avait rien d'infamant. Je suis persuadée qu'un Akhenaton à la limite de l'androgynie et homosexuel éclairerait nombre de détails obscurs. Je vous démontrerai que mon idée n'est pas aussi absurde qu'il y paraît. Cela étant, je m'empresse de vous dire que je dissocie l'aspect du crâne de l'ensemble de la silhouette. Là aussi j'ai mon point de vue ; je vous en ferai part en temps voulu.

Il y eut un silence.

Philippe Lucas ôta ses lunettes en grommelant :

— Akhenaton homosexuel. J'aurai tout entendu dans ma vie.

Anoukis à Keper

Décidément, mon ami, comme tu le fais si bien remarquer, il n'existe pas d'âge propice au changement. Tu es tel que tu es et tel que je t'ai toujours connu : rustaud et sans détours. Mais, rassure-toi, je n'ai aucunement l'intention de m'attarder là-dessus. J'y perdrais mon temps ; et tu le sais aussi bien que moi, le temps nous est compté.

Quant au *Kep* que tu mentionnes, je sais en quoi il consiste. C'est l'institution qui est située à proximité du harem où sont formés les nobles étrangers. Elle héberge essentiellement des princes ramenés en Égypte après les expéditions punitives du pharaon aux pays de Ouaouat [24] ou de Kouch. Une fois formés et imprégnés de notre haute culture, ils sont autorisés à rentrer chez eux afin de mettre leur savoir au service de leurs frères, tandis que d'autres font carrière d'officiers dans les armées du pharaon. Mais, quel que soit leur destin, ces hommes gardent tout au long de leur vie le titre d'« enfant du *Kep* ».

De même, avant que tu ne t'enflammes, sache que je comptais, bien entendu, parler du fils du scribe Hapou. Je suis de ton avis à son sujet. C'était un homme exceptionnel. Toi qui sais tout, es-tu au courant de ce mystérieux rouleau sur lequel il a consigné de nombreuses notes en forme d'enseignement ? Ce sont des préceptes, des conseils, et aussi, m'a-t-on dit, des recettes magiques qui permettent à celui qui les maîtrise de soigner les maux du corps et ceux du *ka*[25]. Cet enseignement est gardé dans un lieu tenu secret, à Akhmîm. Bienheureux celui qui mettra la main dessus.

Sais-tu aussi qu'au crépuscule de sa vie le fils de Hapou fut élevé au rang de grand intendant de la fille aînée de Pharaon, Satamon, la sœur d'Akhenaton, et même autorisé – honneur insigne – à élever des statues à sa propre effigie à l'entrée du dixième pylône de Karnak ? Dieu guérisseur – il fut considéré ainsi –, il rendit des oracles dans une chapelle de Deir-el-Bahari et composa des recueils de prophéties. À l'heure où j'écris, ce grand personnage n'est plus. Il est mort alors qu'il entrait dans sa quatre-vingtième année, juste après le second jubilé, celui du *Heb-Sed*.

Un sculpteur, dont j'ai oublié le nom, a eu la présence d'esprit de graver les grandes lignes de l'histoire de ce sage au dos de la statue en granit noir qui le représente à Karnak. J'ai conservé le texte original et je te le transmets.

> *« Je suis un Chef des Grands, de l'esprit d'invention dans les hiéroglyphes au conseil des lettrés, un homme qui exécute les plans du pharaon et dont l'esprit est élevé par lui.*
>
> *« Le Roi Amenhotep III, Fils de Rê-Horakhty, m'a félicité lorsque j'ai été nommé sous-surveillant des scribes royaux. J'ai été initié au Livre de Dieu ; j'ai contemplé les splendeurs de Thot et j'ai été familiarisé avec ses secrets. J'ai*

résolu toutes ses difficultés et on m'a demandé mon avis à toutes les occasions. Mon Maître, le Roi Amenhotep III, m'a accordé une deuxième faveur. Il a réuni des gens autour de moi et les a placés sous mon commandement lorsque j'étais le chef des scribes royaux pour les recrues. J'ai choisi l'approvisionnement pour mon Maître, ma plume aligna des chiffres par millions ; j'ai fait engager une nouvelle équipe à la place des précédents, de telle sorte que la nouvelle génération devint le bâton de vieillesse. J'ai taxé les maisons et les champs annexes, j'ai réparti les équipes de travail et leurs maisons, et j'ai comblé les absences dans les rangs des esclaves avec les meilleurs captifs de guerre que Sa Majesté avait vaincus sur le champ de bataille. J'ai fait le compte de toutes leurs troupes et j'ai recruté de nouveaux soldats que j'ai envoyés sur la route des caravanes pour détourner les brigands du désert qui ne cessaient d'attaquer les voyageurs. J'ai fait la même chose sur les berges des embouchures des fleuves qui étaient gardées par toutes mes troupes à l'exception des chars royaux ; c'est bien moi qui leur ai montré le chemin, et ils s'appuyèrent sur ma décision. J'étais commandant en chef de l'armée dans la lutte contre la Nubie et l'Asie. [...] C'est moi qui calculai le transport du butin de guerre obtenu par les victoires de Sa Majesté ; j'en avais reçu la mission. J'ai fait ce que le Roi m'avait dit ; j'ai pris en considération tous les ordres qu'on m'avait donnés et je les ai trouvés excellents pour l'avenir.

« Pour la troisième fois, mon Maître, le Roi Amenhotep III, m'accorda une faveur : il est le Soleil, qu'il vive dans l'éternité, sa fête n'a pas de fin. Mon Maître me nomma chef de toutes les constructions, et j'ai fixé le nom du Roi pour l'éternité, sans avoir imité ce qui avait été fait auparavant. Je lui ai apporté une montagne de grès car il est l'héritier d'Atoum. J'ai agi selon les inspirations de mon cœur et j'ai exposé son image dans son grand temple, en toute espèce de pierre rocheuse, éternelle comme le ciel ; personne ne fera encore ce que j'ai fait depuis le temps où le Roi des Deux Pays d'Égypte l'a ordonné. J'ai dirigé les travaux concernant sa statue, colossale dans sa largeur, plus haute qu'une colonne, si bien que sa beauté portait atteinte à l'impression du pylône. Sa longueur était de quarante coudées dans l'auguste montagne de grès, des deux côtés de Rê-Atoum. Je construisis un bateau et fis remonter le Nil à la statue ; elle fut installée dans ce grand temple de Karnak, éternel comme le ciel. Mes témoins sont parmi vous, ils viennent après vous : l'armée tout entière des travailleurs était placée sous mon commandement unique. Tous travaillèrent dans la joie, et leurs cours étaient heureux en louant et en exaltant le Dieu Bon ; ils parvinrent à Thèbes en poussant des cris d'allégresse. Les monuments ont trouvé leur place maintenant pour l'éternité[26]... »

Mis à part cet homme admirable existaient aussi d'autres architectes de talent : je veux parler des deux frères jumeaux, Souty et Hor, qui prirent une part importante dans la construction de Karnak. Il y avait aussi à la cour des fonctionnaires de qualité tels que Khaêmhat, le chef des greniers, Amenmhat, surnommé Sourer, grand intendant de Thèbes, et Kherouef, qui occupait la noble fonction de grand intendant de la reine.

Aujourd'hui, tous ces êtres s'en sont allés, et si l'on ne voit plus leur silhouette se déplacer dans les ruelles de la cité solaire dévastée, si leurs pas ont cessé de résonner, je sais qu'ils sont là, que leur souvenir demeure. Il n'en sera pas de même pour celui que j'aimais.

Mais laissons les morts à leur destin. Reparlons des vivants. J'ai mentionné le *Heb-Sed*, cette fête célébrée sous le patronage du dieu Ptah de Memphis. Ceux qui savent affirment qu'elle s'inspirait d'un rite ancien, du temps de l'Égypte naissante, au cours duquel le roi était mis à mort symboliquement lorsque, trop âgé, il ne pouvait plus assumer physiquement les charges de la royauté.

Ce qui est sûr, c'est que le *Heb-Sed* fut instauré pour marquer les trente ans de règne des pharaons et qu'il pouvait être fêté à intervalles plus courts, chaque fois que le roi éprouvait le besoin de renouveler ses forces et d'être conforté dans sa fonction de « maître des Deux Terres ». J'ai assisté à trois de ces fêtes. La première se déroula à Soleb, en l'an XXX du règne d'Amenhotep III. Ce fut un grand moment. Faste et triomphant.

À cette occasion, on érigea des obélisques, d'importantes quantités de provisions furent apportées de tous les horizons du pays, et le vin coula à flots. À Karnak, à l'aube de ce jour, le roi et la reine, secondés par des femmes venues spécialement des oasis, se mirent en devoir de dresser le pilier-*djed*, sorte de tronc d'arbre figurant une colonne. Selon mon frère, Temoutis, qui fut prêtre d'Aton, le *djed* symboliserait l'arbre de Byblos où fut enfermé le corps d'Osiris. Souviens-toi...

Cela se passait en des jours vieux comme la mémoire des sables. Osiris avait succédé à son père Geb et régnait avec sa sœur et épouse Isis. Roi divin et philanthrope, il enseignait alors aux hommes l'agriculture et les pratiques de la religion. Jaloux de ce règne bienfaisant, Seth, son frère, avec la complicité de soixante-douze conjurés, offrit à Osiris un festin et, par jeu, présenta à l'assistance un coffre. Il défia les convives de pouvoir s'y glisser entièrement. Quand vint le tour d'Osiris, les conjurés scellèrent aussitôt le couvercle et jetèrent le coffre dans le Nil. Les flots poussèrent ce cercueil improvisé jusqu'aux rivages phéniciens de Byblos. Au cours du voyage, un arbre avait poussé sur le coffre contenant la dépouille d'Osiris, l'enfermant ainsi dans son tronc. Le roi de Byblos fit alors tailler l'arbre en forme de pilier et le conserva dans son palais. Isis, partie à la recherche de son époux, arriva à son tour dans le port phénicien et se fit remettre le pilier et le coffre qu'elle rapporta dans les marais de Chemnis, près de Bouto [27]. Elle ouvrit ensuite le coffre et, bien qu'Osiris fût mort, elle se fit féconder. De leur étreinte naquit Horus. Celui-ci fut à son tour agressé par Seth, et un impitoyable combat les opposa dans le désert de Kerâha. Mais le drame ne s'arrêta pas là. Profitant d'une absence d'Isis, Seth s'empara du coffre et dépeça Osiris en quatorze morceaux qu'il dispersa à travers l'Égypte. Isis, point découragée, se mit à la recherche des précieux débris, les retrouva et les ensevelit sur place à l'exception du phallus qu'un poisson du Nil – à jamais maudit pour ce crime – avait dévoré. C'est ainsi qu'aujourd'hui existent quatorze sanctuaires érigés à la mémoire du roi défunt. En vérité, je crois que le combat ne s'est jamais interrompu. C'est celui que se livrent le bien et le mal. Il se poursuivra tant que les hommes seront ce qu'ils sont...

Mais revenons au *Heb-Sed*. Lors de ces célébrations, le couronnement du pharaon fut renouvelé, comme il se doit. Habillé d'un vêtement serti de joyaux imitant le plumage du faucon Horus, Amenhotep III, drapé de son court manteau de jubilé et accompagné par Tiyi, apparut aux portes doubles du palais d'où il fut transporté sur le palanquin officiel jusqu'au dais, où les trônes étaient dressés. Là, le couple présida à l'hommage qu'étaient venus leur rendre les représentants du Double Pays et les délégués étrangers qui avaient fait le voyage d'Afrique, d'Asie et du monde égéen.

La reine Tiyi figurait Hathor, tandis que ses filles l'assistaient en tant que prêtresses de cette même déesse. Elles étaient accompagnées par des chanteurs du temple et des musiciens d'Amon, ainsi que par les épouses des fonctionnaires. Des heures durant, des hymnes à la gloire du roi noyèrent le ciel.

À quelques pas du dais royal, les filles des princes asiatiques, présentes elles aussi, versaient des libations à l'aide de vases d'or et d'argent, dans le même temps que se produisaient des danseurs acrobatiques et des baladins.

En retour, le roi offrit à la cour une grande collation de pain et de bière, de bœufs et de volailles. On célébra des investitures, et les officiels méritants furent oints et décorés de riches bracelets d'or et de colliers d'honneur. Des bandeaux de lin vert, destinés à retenir la chevelure, furent distribués à tous ceux qui avaient pris part à la cérémonie, tandis que de hauts dignitaires déplaçaient à coups de rame la barque royale – *Splendeur d'Aton* – le long du lac sacré.

Je dois dire que la magie n'était pas étrangère à l'événement, mais seuls les prêtres sont dépositaires des secrets.

Hélas, c'est bien connu : personne, pas même les dieux, ne peut ralentir la marche du soleil et les affronts de l'âge...

Keper à Anoukis

Le *Heb-Sed* ! Quel gâchis ! J'en conviens, ton parallèle avec Osiris et Isis est bien amené. Pour ma part, je n'ai jamais vu dans cette manifestation autre chose qu'une occasion de se goberger et de se remplir la panse. Quelle utopie ! Dis-moi, Anoukis mon frère, penses-tu réellement que, par un tour de passe-passe, il soit possible de restituer sa jeunesse à un pharaon décati ? Si oui, alors explique-moi comment il se fait qu'à l'heure de sa mort, vers la cinquantaine, le physique d'Amenhotep III inspirait autant de tristesse ? Il semblait affligé, las. Et, comme la plupart d'entre nous, il était victime d'affreux maux de dents qui le laminaient. Comme toi, il était devenu ventripotent ; seuls quelques rares cheveux ornaient encore ses tempes. La dernière fois que je l'ai vu, il était avachi sur son trône, le corps flasque, la tête tombante, une main molle reposant sur les genoux. Je sais, pour l'avoir appris de la bouche de Sefrou, l'un des embaumeurs chargés d'apprêter la dépouille royale, que, pour rendre à son corps une apparence digne, on introduisit sous sa peau un bourrage fait d'un mélange de natron et de résine. C'est te dire à quel point il avait décliné ! Manifestement, les sortilèges de la fête-*Sed* n'ont pas eu l'effet escompté.

Soyons sérieux. Pense un peu à la scène centrale de cette cérémonie à laquelle j'ai moi aussi assisté. Il y a ce moment où le pharaon se met à courir autour d'un champ délimité en tenant entre ses mains nombre d'objets incroyables parmi lesquels l'*Ymit-per,* ce fameux document sur lequel les prêtres inscrivent l'énumération officielle de ce que contient un bien ; un titre de propriété en somme. Au préalable, le souverain a été installé successivement dans deux pavillons élevés, munis d'un escalier, pour y revêtir les insignes de la royauté du Sud, puis du Nord. On le porte ensuite dans la fameuse litière dite « des rois » de Haute-Égypte, puis dans celle de Basse-Égypte, litière qui m'a toujours fait penser à une grande corbeille. Personnellement, je trouve cette scène affligeante. Pourquoi nier ce qui est : tout ce cérémonial ne sert qu'à confirmer encore et encore le fait que l'Égypte est la propriété royale du souverain. Et lorsque, ensuite, le roi, armé d'un arc, se met à tirer en direction des quatre points cardinaux, crois-tu sincèrement que cet acte lui permet « de repousser les forces mystérieuses qui s'opposent au règne de l'ordre et de réaffirmer la prééminence de l'Égypte sur l'univers » ? Mon ami, au risque de te choquer une fois de plus, je te dirai que nous sommes là en pleine fantasmagorie.

Je préfère ne pas insister sur ce thème. Je ne ferais qu'aggraver mon cas. Parlons plutôt de choses plaisantes. Parlons des femmes. Laisse-moi te dire qu'Amenhotep III était un sacré fornicateur ! Tu as parlé de son harem. Mais tu as oublié de mentionner ses mariages. Je sais, tu me rétorqueras que ce sont là les jeux de la politique et que ce n'était que des alliances « diplomatiques ». J'en conviens. C'est ainsi qu'il se lia avec deux princesses syriennes, deux princesses babyloniennes et une d'Arzawa. Mais en vérité, seule Giloukhipa, la fille de Chouttarna II, le roi du Mitanni, mérite d'être citée. Retenu à Memphis, je ne pus assister à l'arrivée de la princesse à Thèbes, mais on m'a rapporté que ce fut une journée faste. Giloukhipa aurait débarqué au palais au cours de la dixième année du règne d'Amenhotep III, accompagnée par quelque trois cents dames d'honneur, parmi lesquelles des fileuses, des musiciennes et des servantes ! La chère Tiyi était folle de rage. Ce qui ne fut pas pour me déplaire. Par contre, détail qui n'a rien à voir avec la diplomatie, je me suis laissé dire qu'Amenhotep passa plus de temps dans la couche de la Mitannienne que dans celle de sa chère épouse royale ; ce qui n'est pas pour me déplaire non plus.

Pour revenir sur la fête-*Sed*, je te dirais que je lui préfère et de loin la fête d'*Opet*[28]. Elle a l'avantage de se dérouler dans la joie et non dans une tension tragicomique ! La dernière m'avait particulièrement enchanté.

Je te quitte, car j'entends tes soupirs. Ils m'empêchent de me concentrer. Ma tendresse à ton épouse.

Anoukis à Keper

Ami Keper, ton cœur possède la virulence du chacal, et ta langue est gonflée du venin du scorpion. Néanmoins, tu m'amuses. Oui. Il me souvient parfaitement de l'arrivée de Giloukhipa à la cour. Un scarabée fut d'ailleurs émis à cette occasion. Si ma mémoire ne me trahit pas, le texte disait en substance : *« An X... Le roi de Haute et de Basse-Égypte, le seigneur du Rituel, Nebmaâtrê, choisi par Rê, fils de Rê, Amenhotep, maître de Thèbes, et l'épouse principale du roi, Tiyi, qu'elle vive éternellement. Une merveille offerte à Sa Majesté : la fille du roi du Mitanni : Giloukhipa, et les trois cent dix-sept meilleures femmes de son harem. »* Il me souvient aussi que les négociations avaient duré de longs mois. Il a fallu batailler ferme – comme à chaque mariage – pour se mettre d'accord sur l'étendue et la nature de la dot. De son côté, le pharaon avait proposé un prix pour la future fiancée, et Chouttarna avait âprement négocié. Que de marchandages avant d'aboutir ! Tout compte fait, le trousseau de Giloukhipa compensa largement les dépenses : or, bijoux, vaisselle, chevaux, miroirs et braseros, huiles et épices, et bien d'autres choses encore qui ne me reviennent plus !

Ta pique à propos de la reine Tiyi qui eût été « folle de rage » est totalement inepte. Inepte aussi ton affirmation selon laquelle Amenhotep préférait partager la couche de Giloukhipa plutôt que celle de Tiyi. Te cachais-tu alors derrière les colonnades du harem ? Étais-tu sous le pagne du pharaon ? Comment un être sensé – car tu l'es certains jours – peut se lancer dans de semblables médisances ? Et puis, ce n'est pas à un homme de ta trempe que je l'apprendrai : il existe une nuance entre forniquer et aimer. Amenhotep III ne fut jamais épris de la Mitannienne. Oh non ! Son cœur, je le sais, ne cessa jamais d'appartenir à Tiyi. En revanche, je te donne raison pour ce qui est des maux de dents dont souffrait le pharaon. Ces maux, comme tu le soulignais, sont malheureusement notre lot à tous.

Mais peu importe ! Revenons à celui qui occupe mes pensées et inspire ces écrits.

N'ayant connu Akhenaton qu'après son avènement, je n'ai pas de détails précis sur la manière dont se déroula son enfance, et le peu que je sais, je le tiens des confidences qu'il a bien voulu me faire lorsque certains soirs la nostalgie s'emparait de son âme. Il parlait, ou plutôt il pensait à voix haute, de sa voix suave et douce. « La nuit est une abomination pour moi, me disait-il, et je n'aime pas les étoiles. Elles me font peur, car, lorsqu'elles apparaissent dans le ciel, les chacals sortent de leurs antres. » Il me parlait de sa sœur aînée, Satamon, la préférée de son père, à qui ce dernier avait accordé l'honneur suprême de devenir épouse royale au même titre que Tiyi. Il ne s'agissait pas là d'un acte incestueux dans le sens commun, mais d'un rite qui s'inscrit dans le droit fil de la tradition et qui a pour but d'entretenir la nature divine de la famille royale[29]. Akhenaton me parlait aussi bien sûr de son frère aîné, Djehoutymes[30], objet de toutes les attentions puisqu'il aurait dû hériter du trône. Il ressentait à son égard une affection vraie et se disait protégé par lui, bien que ce frère fût si peu présent à ses côtés. Et pour cause, il étudiait dans le *Kep* où il recevait le même enseignement que les fils des plus nobles familles égyptiennes. Au terme de ses études, on l'envoya à Memphis pour se familiariser avec la bureaucratie de la cour et les rouages du pouvoir en vue de son règne de pharaon. Quant à ses heures de loisir, elles étaient consacrées à l'apprentissage de la chasse, à l'équitation, au tir à l'arc, afin de devenir ce guerrier émérite qui, un jour, serait apte à diriger l'empire.

Akhenaton, lui, avait la chasse en horreur. La vue du sang le faisait chavirer. Il me décrivit longuement aussi l'indicible sentiment de solitude qui l'accompagnait nuit et jour en dépit de l'omniprésence des courtisans. L'a-t-on aimé ? C'est probable, mais, oserai-je le dire ?, bien moins que son frère aîné. Pendant longtemps, Djehoutymes fut dans la lumière et lui, Akhenaton, dans l'ombre. Je pense que ses gestes, trop délicats, trop raffinés, son physique presque languide ne furent pas étrangers à cette situation. C'est bien connu, un fils de pharaon doit offrir une apparence virile, guerrière, et présenter un esprit rude. Une chose est sûre : il a souffert de l'attitude de son entourage. Sa grande sensibilité, la faculté qu'il avait de s'émouvoir, ne fit qu'accentuer cette douleur. Si le dieu unique n'avait décidé d'en faire son élu, il est probable que nul, jamais, n'eût entendu parler du fils cadet d'Amenhotep III. Ce fut la mort de son frère qui arracha Akhenaton des ténèbres où il se flétrissait.

Il m'a dit avoir vécu une partie de son enfance entre

Memphis et la « Maison de Nebmaâtrê est la splendeur d'Aton », la citadelle royale, à la fois entouré et solitaire, passant le plus clair de son temps dans la grande cour à portiques ou dans les jardins. À la nuit tombée, il s'allongeait au bord du bassin que le pharaon avait fait aménager entre le premier et le seizième jour du troisième mois de l'Inondation, grâce aux débordements du fleuve. Il restait là, de longues heures, à écouter le chant de l'eau et à contempler la dérive des étoiles. Il s'interrogeait alors sur les hommes, les dieux, la vie et la mort. Mille questions tourmentaient son esprit. Pourquoi l'éclat du jour ? Pourquoi les ténèbres de la nuit ? Qui des deux triomphait de l'autre ?

Mais voici peut-être le plus important. Il m'a confié avoir été infiniment troublé par les membres du clergé qui règnent sur la capitale du XVe nome de Haute-Égypte, le centre de culte de Thot, dans la ville de Khemnou[31] à l'ouest du fleuve, face à ce qu'il reste de la cité de l'Horizon. La décision prise par Akhenaton d'ériger cette cité très précisément face à Khemnou prouve que les prêtres exerçaient sur lui une influence bien plus profonde qu'on ne peut l'imaginer. C'est en ce lieu que ces prêtres forgèrent, il y a longtemps, le récit de la Création, y faisant intervenir huit dieux, d'où ce surnom de Khemnou : « La ville des huit ». La vision de ces prêtres était quelque peu différente de celle imaginée par le clergé d'Héliopolis ou de Thèbes.

C'est dans l'enceinte sacrée que j'imagine mon bien-aimé. Je peux tendre l'oreille ainsi qu'il le fit. Je le vois, s'émerveillant à l'écoute du récit sacré ; celui qui décrit les origines du monde, le premier jour, la première heure. Souviens-toi.

« Avant était le Noun, l'océan primitif et sans fin, le liquide primordial. Immobile, sans rumeur. Ces eaux étaient le Noun, Père des dieux, l'ancêtre de tout ce qui allait devenir. Et les eaux se tenaient là. Elles se tenaient sous la nuit, car il n'y avait que la nuit et les ténèbres de la nuit. C'était avant la naissance du ciel, avant celle des hommes, avant que les dieux n'enfantent, avant la naissance de la mort. Alors Thot, Gorge de Celui dont le nom est caché, usa du verbe. Messager des dieux, patron des scribes, maître des étoiles et du temps, il créa successivement quatre couples. Le premier fut constitué par Noun et Naunet, le liquide primordial sous son aspect masculin et féminin. Le deuxième couple fut représenté par Heh et Hehet, l'infinité de l'espace symbolisée par les flots qui s'étalent et qui cherchent leur voie. Kau et Kauket figurèrent les ténèbres. Le quatrième couple enfin fut représenté par Amon et Amonet, l'élément mystérieux. Leurs formes étaient inspirées par la faune grouillante des marais du Delta. Les mâles avaient une tête de serpent ; les femelles une tête de grenouille. Une colline fleurie fut tirée de l'océan et les couples s'y rassemblèrent et firent apparaître un œuf. Ils le déposèrent au sommet de la colline et de cet œuf jaillit le globe solaire. »

J'ai cité Amon. Peut-être n'aurais-je pas dû ? Était-il présent ce jour-là ? En vérité, son origine est bien mystérieuse. Quelqu'un m'a confié un jour qu'il aurait été un dieu des vents, originaire de Moyenne-Égypte ; un autre m'a assuré qu'il était natif de Thèbes, ce qui expliquerait sa prédominance dans cette ville. Qui nous dira le sens de tout cela ?

Je suis en tout cas convaincu que l'enseignement des prêtres de Khemnou laissa une empreinte définitive dans le cœur et l'esprit de celui qui allait régner sur l'Égypte.

Mais il se fait tard.

À mon âge, les yeux s'épuisent vite, et le corps se lamente trop tôt des efforts qu'on lui réclame. Il me souvient du temps où je pouvais noircir des feuillets entiers sans éprouver ces courbatures qui crient dans mes membres, sans apercevoir ces mouches qui voltigent entre mon regard et le mot. Tout passe. Et la jeunesse est un leurre. Mais le savions-nous lorsque nous courions dans les allées de l'insouciance ?

De ma terrasse, je vois descendre le crépuscule. Les berges du fleuve s'embrument. Bientôt il fera nuit...

Le Caire

Judith relut en détachant les mots :

— « *Avant était le Noun, l'océan primitif et sans fin, le liquide primordial. Immobile, sans rumeur. Ces eaux étaient le Noun, Père des dieux, l'ancêtre de tout ce qui allait devenir. Et les eaux se tenaient là. Elles se tenaient sous la nuit, car il n'y avait que la nuit et les ténèbres de la nuit.* »

Elle ajouta, rêveuse :

— On a l'impression de se retrouver devant les premiers versets de la Genèse. Dieu dit : « *Qu'il y ait un firmament au milieu des eaux et qu'il sépare les eaux d'avec les eaux qui sont au-dessus du firmament. Que les eaux qui sont sous le ciel s'amassent en une seule masse.* » Curieux, non ?

Puis elle pointa son index sur le papyrus.

— Vous souvenez-vous de ce que je vous ai dit à propos d'une éventuelle malformation physique d'Akhenaton ?

— Vous avez dit beaucoup de choses...

— J'ai précisé que je dissociais l'aspect ovoïde du crâne de l'ensemble de la silhouette. Et je crois que l'explication est là. Ainsi que le texte le précise, il semble évident que le pharaon a été influencé par le clergé d'Hermopolis et par sa conception de la création du monde.

Elle lut à voix haute :

— « ... *et firent apparaître un œuf, le déposèrent au sommet de la colline et de cet œuf jaillit le globe solaire.* » Vous comprenez ? Tout se tient. Subjugué par le récit des prêtres d'Hermopolis, l'« Ogdoade », l'histoire de ce groupe de huit dieux qui participèrent à la création du monde, Akhenaton tient le symbole de l'œuf pour absolu. N'est-ce point de l'œuf primordial que jaillit le soleil ? Le soleil et ses rayons, Aton dans toute sa magnificence. Par conséquent, une fois maître de l'Égypte, qu'ordonne le pharaon aux artistes qui l'entourent ? Il leur impose de représenter son crâne et celui de ses proches de forme ovoïdale.

— Il ne s'agit donc pas d'hydrocéphalie.

Un petit rire échappa des lèvres de l'égyptologue.

— Vous êtes en pleine contradiction, ma chère.

— Pourquoi donc ?

— N'avez-vous pas affirmé il y a un instant que notre pharaon aurait souffert d'une malformation due à un dysfonctionnement hormonal ?

Judith leva les bras au ciel.

— Vous accordez si peu de crédit à mes propos que vous n'en retenez rien. Je pense effectivement qu'Akhenaton était atteint d'une maladie hormonale qui, sans être grave, n'en altéra pas moins son apparence physique. Mais cette maladie ne fut en rien responsable de la forme de son crâne ou de celui de ses filles ou de son épouse. Ce sont deux problèmes distincts. L'erreur serait de ne pas les dissocier. Comprenez bien que nous avons, d'une part, une malformation et, de l'autre, l'expression d'une foi.

— Alors dites-moi de quelle mystérieuse maladie aurait souffert notre pharaon. Le syndrome de Fröhlich a été éliminé. L'hydrocéphalie de même. Que reste-t-il ?

Judith soupira.

— Quand je vous disais que vous ne reteniez rien de mes propos. Il y a quelques jours, j'ai envoyé par courrier électronique à un ami endocrinologue les photos les plus représentatives d'Akhenaton. Nous ne devrions pas tarder à avoir des nouvelles. Je pense qu'il nous invitera à lui rendre visite puisqu'il n'habite pas très loin d'ici. Rue Kasr el-Nil.

— Mais qui est-il exactement ?

— Il s'appelle Michel Yacoub. Il appartient à ces dix pour cent qui forment la communauté copte d'Égypte. Il a fait toutes ses études de médecine en France, mais, à la différence de nombreux chrétiens et juifs qui vivaient au Caire et qui ont opté pour l'exil après l'arrivée au pouvoir de Nasser, Yacoub a tenu à rester. C'est, je suppose, son côté Don Quichotte. Il met un point d'honneur, comme beaucoup de ses coreligionnaires, à résister pour que survive un dernier carré chrétien.

Lucas hocha la tête d'un air entendu et désigna les papyrus.

— Si nous reprenions la lecture ?

— Bien sûr. Mais, avant, j'aimerais vous poser une question. Qu'il s'agisse de Keper ou d'Anoukis, les deux hommes semblent nous dire que la plupart des Égyptiens souffraient de douleurs dentaires. J'ignorais que ce fut répandu à ce point. En savez-vous la raison ?

— Il en existe plusieurs, mais disons que l'une d'entre elles est prédominante. L'Égypte est avant tout un désert. Les grains de sable soulevés par le vent se mêlaient régulièrement aux aliments, provoquant ainsi une érosion de l'émail. Les dents se retrouvaient presque à vif, et l'infection suivait. Pour ce qui est d'Amenhotep III, nos deux compères disent la vérité. Il souffrait atrocement. Suffisamment pour ordonner que l'on consacrât près de six cents statues à la déesse destructrice des hommes et responsable des épidémies qui s'abattaient sur l'Égypte.

— Sekhmet ?

Le professeur confirma et poursuivit :

— De plus, en désespoir de cause et ne sachant plus à qui se vouer, le malheureux souverain écrivit à Touchratta, le successeur de Chouttarna, pour lui demander de l'aide ou des conseils. Je ne me souviens plus précisément de la réponse du roi du Mitanni, je sais seulement qu'il avait joint à sa missive une statuette de la déesse Ishtar, la personnalité féminine la plus importante du panthéon assyro-babylonien. J'ai souvenir que la lettre se concluait par : « *Qu'Ishtar, maîtresse du ciel, nous protège, mon frère et moi, pendant cent mille ans et que notre maîtresse nous accorde à tous une grande joie.* » Pas de quoi apaiser une rage de dents...

— En effet...

— D'ailleurs, le présent de Touchratta ne servit pas à grand-chose, puisque, sept mois plus tard, aux alentours de l'an XXXVIII de son règne, le souverain rendit l'âme...

Anoukis à Keper

L'aube s'est levée.

Mon épouse, Ankheri, est encore dans notre chambre. Je peux la voir à travers la porte entrebâillée. Un miroir dans la main gauche, un bâtonnet en ivoire dans la main droite. Elle se farde les yeux. Du vert pour la paupière inférieure, du noir pour les sourcils. Vanité ou refus de plier devant les mortifications de l'âge ? Les deux sans doute. Encore que l'usage du *mesdemet*, cette poudre noire dont elle use, a, paraît-il, une vertu curative. Ensuite, douce Ankheri avivera le rouge de ses lèvres, s'enduira les cheveux d'huile et les membres d'onguents. Je me console de tout ce temps perdu en me disant que ma sœur fait toutes ces choses parce qu'elle m'aime encore et veut continuer à me plaire. Comment la convaincre qu'elle n'a pas besoin d'accomplir tous ces efforts pour exprimer son amour et entretenir le mien ? J'aurais pu, comme mon voisin, prendre sous mon toit une ou plusieurs autres concubines, autant que ma fortune me l'eût permis. Je ne l'ai jamais fait. C'eût été injurier mon amour. Voilà plus de cinquante années qu'Ankheri et moi ne faisons qu'un, à l'image de deux bandes de papyrus juxtaposées, scellées par nos tendresses et martelées par les coups de la vie. Rien ne nous séparera sinon la mort.

Je pense que tels étaient les liens qui unissaient Néfertiti et Akhenaton.

J'ai parlé de l'enfance rêveuse de celui que j'aimais. C'était aussi une enfance cachée. Il vivait retranché et écarté des choses du pouvoir, car il n'était pas appelé à régner. C'est en direction de son frère, Djehoutymes, que se portaient les regards. Djehoutymes ne figurait-il pas l'Horus, héritier du trône de son défunt père Osiris ? Il était le prince héritier, surveillant des prêtres de Haute et de Basse-Égypte, grand prêtre de Ptah à Memphis. Akhenaton ne possédait aucun titre. Le cadet d'une famille royale ne compte pas. Il est invisible ou alors il n'est que l'ombre de son aîné.

Dans l'ombre, il a grandi. Dans la lumière, il a régné. Les premiers rayons qui caressèrent son visage surgirent à l'aube du jour où son frère décéda. De quoi Djehoutymes est-il mort ? Nul ne le sait, sinon la maladie qui dévasta son être. Il est mort peu de temps après Tamiaou, le chat qu'il adorait et qui fut enterré dans un magnifique sarcophage. Djehoutymes était donc mort, et le vieux pharaon faisait songer à une mèche vacillante, prête à s'éteindre. Dès lors, tous les visages de la cour n'eurent d'autre choix que de se tourner vers le mâle survivant : Akhenaton. Il entrait alors dans sa quatorzième année. Le jeune homme jusque-là ignoré fut hissé vers les cimes légendaires, là où vivent les dieux.

Ainsi que je te le disais dans ma précédente lettre, personne, pas même les dieux, ne peut ralentir la marche du soleil et les affronts de l'âge. Le souverain glissait lentement hors de cette vie. Mais je dois reconnaître que son esprit restait suffisamment vif pour continuer d'exprimer ce qu'il n'avait cessé de manifester au cours des dernières années de règne : son détachement progressif à l'égard d'Amon et sa foi en Rê-Horakhty, le globe solaire, principe de toute vie. Plus la mort se rapprochait, plus l'ombre de Rê-Horakhty s'étendait sur les traits d'Amenhotep III. En cette ombre une nuance se profilait : si la source d'énergie était bien le soleil, son expression visible commençait à transparaître sous le nom d'une ancienne divinité apparue il y a fort longtemps, sous le règne du pharaon Djehoutymes IV et qui avait pour nom Aton.

Insensiblement, dans les textes, et particulièrement dans l'hymne de Souty et Hor, c'est le rayonnement de l'astre, sa beauté et son amour qui étaient mis en valeur. Ce qui ne sous-entendait pas que le dieu solaire pouvait être révélé dans toute son essence et à tous. Non. Il demeurait lointain, hors de portée, méconnaissable. Seuls sa chaleur et son éclat étaient reconnus comme émanation de sa bienveillance et de sa toute-puissance. C'était lui le créateur de l'univers, le solitaire et l'unique. Il me semble que cette nouvelle approche à laquelle s'était greffé l'enseignement des prêtres d'Hermopolis marqua profondément la jeunesse d'Akhenaton. Il percevait déjà, j'en suis sûr, que cette vision n'était pas totalement conforme à la tradition jusque-là professée par le clergé d'Amon. Il n'était plus besoin de combattre des forces hostiles, puisqu'elles n'existaient pas, puisque l'univers, débarrassé de la menace du chaos, n'était empli que de cette lumière qui engendre et entretient la vie, puisque Aton inonde le monde et installe la durée. Au début, je le reconnais, je n'avais pas saisi l'évolution de la foi d'Amenhotep III. J'aurais dû me douter qu'un changement était en train de s'opérer le jour où il inaugura le bassin d'irrigation. Ce matin-là, tout le monde avait pu observer que la barque officielle sur laquelle naviguait le pharaon avait été baptisée *Splendeur d'Aton*. La citadelle royale n'avait-elle pas déjà été surnommée « Maison de Nebmaâtrê est la splendeur d'Aton », et à Thèbes, dans l'enceinte du temple, n'y avait-il pas un intendant préposé à la demeure d'Aton ? Et, bien avant ces signes précurseurs, Djehoutymes IV, le père d'Amenhotep III, n'avait-il pas fait inscrire sur un scarabée commémoratif : « Si le pharaon se déploie pour combattre, ayant Aton devant lui, il détruit les montagnes en piétinant les pays étrangers » ? Lorsque le roi entreprit les travaux à Karnak, n'a-t-il pas accordé une place de choix à Rê-Horakhty, le dieu à tête de faucon surmontée du globe solaire ? Et n'a-t-il pas, dès le début de son règne, ordonné que le pylône méridional fût orné d'une série de scènes d'offrandes traditionnelles où on le voit figurer face à Rê-Horakhty, désigné comme étant « Celui qui se réjouit à l'horizon », porteur du surnom de « Lumière solaire qui est dans le Disque » ? Qui aurait pu pressentir alors que de grands bouleversements suivraient et qu'Aton, source de toute vie, expression visible du père, se manifesterait bientôt à travers son fils, le pharaon ?

À l'origine, il n'existait pas de religion commune à tout notre pays. Toutes les localités, quelle que fût leur importance, possédaient une divinité qui leur était propre, honorée par leurs habitants, mais par eux seulement. C'est ainsi qu'à Memphis régnait le dieu Ptah. Suivant la croyance de ses fidèles, il aurait modelé sur son tour, en sa qualité de potier, l'œuf dont est sorti le monde. À Héliopolis, Atoum était « le dieu de la ville » ; à Khemnou, c'était Thot ; à Edfou, c'était Horus, et ainsi de suite. Puis les choses évoluèrent, et notre religion se simplifia. Les divinités mineures passèrent à l'arrière-plan. C'est ainsi qu'émergea le prestige de Rê, le dieu solaire. Bien avant l'avènement de « Celui qui fut bénéfique à Aton ». En vérité, je me suis laissé dire qu'il s'en fallut de peu que notre terre ne basculât dans la vénération d'un dieu unique. C'est la présence de la multitude de sanctuaires disséminés à travers tout le pays qui empêcha que se produisît la fusion, à quoi, surtout, il faut ajouter l'opposition déclarée du clergé d'Amon. Ah ! le clergé d'Amon. Au fil du temps, il était devenu de loin le plus riche et le plus puissant des clergés. C'était lui qui aurait eu le plus à perdre si un dieu unique avait prévalu et si ce dieu n'eut pas été celui qu'il servait. Amon avait été promu « Roi des dieux et dieu des rois ». Nul ne sait son origine. C'est sans doute pourquoi son nom signifie « le caché » ou « celui qui ne s'est pas encore manifesté ». Il représente celui qui a créé et qui recrée chaque jour le monde, celui dans lequel le tout est contenu. Il va de soi que ce que je t'explique là, l'Égyptien, l'homme de tous les jours qui se contente de vivre son quotidien, d'élever sa progéniture et d'assurer sa pitance, ne peut pas le savoir. Il n'a ni le temps ni l'esprit de se poser des questions aussi complexes. Il croit simplement en Amon, en ce dieu qui a réussi à gagner sa confiance ; et la grande majorité de mes frères en a fait son interlocuteur privilégié. Comment ne pas être attiré par un dieu qui a la réputation de savoir consoler et secourir les humbles ? On peut le prier, le faire fléchir. Il pardonne les fautes dès lors que l'on peut justifier d'une conduite irréprochable, si, comme le disent les textes sacrés, « on a suivi le chemin de Maât ». Parallèlement à la montée d'Amon, la puissance des prêtres qui le servent s'est considérablement accrue. Il est arrivé même que ceux-ci permettent à certains de nos souverains d'accéder au trône. C'est ce qui se passa pour la grande reine Hatshepsout. Alors, imagine quel pouvoir était celui du clergé ! Insensiblement, ainsi que je le soulignais plus haut, une évolution s'opéra du temps d'Amenhotep III. Sous son règne, Aton commença à sortir de l'ombre. En fait, sans le savoir – à moins qu'il en fût conscient –, le souverain prépara à travers son fils l'avènement du dieu unique. Je ne sais pas ce que tu en penses, ami Keper, mais, pour ma part, je suis convaincu que tout cela fut provoqué par une inspiration divine. J'ai hâte de connaître ton opinion sur le sujet.

Keper à Anoukis

Mon frère, je suis, à une nuance près, de ton avis. Au cours de ma trop longue existence, il m'est arrivé de fréquenter des prêtres de tous bords. Je n'ai jamais aimé cette engeance et j'ai particulièrement honni ceux de Thèbes. Des profiteurs, des saligauds et des prébendiers, voilà ce qu'ils sont. Figure-toi que, livré à mes insomnies, je me suis amusé à faire le décompte. En laissant de côté les produits moins importants, tels que le miel, l'encens ou les fleurs, j'ai calculé que le temple d'Amon reçoit journellement, bon an, mal an, deux cent cinquante cruches de bière, cinq mille pains, trente-cinq gâteaux, soixante-quatre oies. Je n'ai hélas pas pu évaluer le nombre de cruches de vin, mais, à mon avis, il ne doit pas être très éloigné des cruches de bière. Évidemment, la plus grande partie de cette nourriture et de ces boissons servait à nourrir aussi bien les prêtres que les participants à la multitude de fêtes qui comblent notre vie, mais ne perds pas de vue que les premiers bénéficiaires restent les prêtres. Leur crâne est déplumé, mais pas leurs prérogatives ! À qui la faute ? À nos maîtres, bien entendu, à tous les pharaons qui se sont succédé et qui ont eu la fâcheuse manie d'engorger les temples de mille et un présents, afin de s'attirer les bonnes grâces du dieu. Te souviens-tu que l'on accorda à ces parasites une partie du butin rapporté des campagnes qui s'étaient déroulées dans le pays de Pount ? Mon sang bouillonne quand je pense que Djehoutymes le Troisième céda au clergé d'Amon certains des plus beaux champs et jardins de la Haute et de la Basse-Égypte ! Des terrains surélevés, plantés d'arbres fruitiers, des vaches et des buffles, de l'or, de l'argent à profusion, et du lapis-lazuli en quantité incommensurable ! Comme si ces libéralités ne suffisaient pas, Djehoutymes leur a offert aussi des captifs asiatiques et des Nègres : pas loin de mille têtes, hommes et femmes, astreints à remplir le grenier du dieu, à filer, à tisser pour lui et à cultiver les champs du clergé. Il a même poussé la générosité jusqu'à mettre aux pieds des prêtres trois des villes qu'il avait conquises, Nouges, Jénoam et Herenker[32], qui se virent, bien entendu, contraintes de payer un tribut annuel à Amon. Sethos, premier du nom, ne fut pas en reste. Il fit don à ces punaises enrobées de lin de la majorité des pierres précieuses dérobées à l'ennemi lors de sa campagne de Syrie. Non content, il ajouta à cette libéralité des princes qu'il avait ramenés « dans son poing » et dont il fit des esclaves, toujours au service du grenier d'Amon. Tout est bon à prendre au nom du dieu. Bétails, jardins, chantiers, bourgades, barques...

Ma fonction de scribe royal m'a longtemps permis de fouiner là où le vulgaire est interdit d'accès. Peu de temps avant d'être limogé par Ay, j'ai trouvé un rouleau dans lequel les prêtres avaient noté l'inventaire de leurs richesses. Je l'ai aussitôt recopié, me disant qu'il servirait un jour. Je ne me trompais pas. S'il ne me fut d'aucune utilité du temps où j'étais fonctionnaire, il se révèle aujourd'hui un document non dépourvu d'intérêt. Je le joins à cette missive. Il pourra enrichir ton opuscule. Tu y constateras l'opulence qui était celle des prêtres de Thèbes en comparaison avec des villes telles que Memphis ou Héliopolis.

Comme tu peux le vérifier, la richesse de Thèbes dépasse de plus de six fois celle d'Héliopolis et de plus de vingt-six fois celle de Memphis. Elle possède presque dix fois plus de troupeaux qu'Héliopolis et quarante fois plus que Memphis. La superficie des terres et des champs qui sont la propriété de Thèbes dépasse les cinquante coudées carrées ! Sa qualité de ville du roi des dieux lui accorde une suprématie absolue sur les autres villes du pays ! Peste soit d'Amon ! La mère de ces larbins a dû forniquer avec des scorpions ! Et, bien entendu, pour gérer pareille fortune, il leur faut s'entourer d'une armée de fonctionnaires ! Fonctionnaires pour gérer les biens du temple, fonctionnaires pour administrer le trésor, les champs, les greniers, le bétail... À chaque administration, son directeur et ses scribes. Alors, ami Keper, quoi d'étonnant que la tempête éclatât contre « Celui qui fut bénéfique à Aton ». L'âge aidant, nous avons appris toi et moi que l'on ne bouleverse pas impunément la marche tranquille du fleuve... Ce n'était pas le cas d'Akhenaton. Le malheureux n'avait pas dix-huit ans lorsqu'il s'est lancé dans cette folle aventure.

Je reviens à présent sur un passage de ta lettre. Tu écris : *« En fait, sans le savoir, à moins qu'il en fût conscient, le souverain prépara à travers son fils l'avènement du dieu unique. »* C'est tout à fait exact. L'influence du père et celle du clergé d'Hermopolis ont inspiré la plupart des décisions prises par « Celui qui fut bénéfique à Aton ». Ce qui se passa ne fut pas un acte impulsif, mais l'aboutissement d'une évolution. Toutefois, j'aimerais compléter cette argumentation. À cette double influence, nous devons ajouter une troisième, celle d'un homme. Un homme qui n'était point prêtre, ni roi ni prince, mais qui, dans l'ombre des colonnades et le parfum des jardins, a lui aussi joué un rôle prépondérant dans cette affaire. Ce ne sont pas des ragots. Je fus le témoin direct de ce que j'avance. Tu connais ce personnage. Nous avons débattu de son destin. Il s'agit du fils du scribe Hapou. Architecte, certes, guérisseur, bien sûr, mais il possédait bien d'autres dons et d'occultes pouvoirs. Il était l'homme le plus savant de son temps. Il maîtrisait la science des nombres, il connaissait par cœur la carte des étoiles. L'art des plans n'avait point de secret pour lui, ni le calcul des masses ni l'art de tailler des pierres énormes et de les déplacer. Il connaissait même le moyen d'obturer des galeries par le sable en un battement de paupières...

Je l'ai entendu parler aux Pléiades, et nul doute qu'elles lui répondaient. Le fils du scribe Hapou percevait l'inaccessible du regard. Je les ai surpris maintes fois, lui et l'enfant, tandis qu'ils déambulaient dans les jardins de la citadelle royale. Je les ai observés pendant qu'ils étaient assis des heures durant sur les berges du fleuve. J'étais trop éloigné pour entendre ce que le fils du scribe disait au futur pharaon, mais pas besoin d'être grand voyant pour deviner que le sage parlait au jeune homme de ces dieux qui mènent à l'Unique, de la force mystérieuse qui, à chaque instant, recrée l'univers. L'enfant écoutait et buvait les mots du sage ; des mots qui évoquaient aussi Thèbes, centre du monde, nombril religieux de l'Égypte. Puis il y eut d'autres voix. Celle de Parennefer, le vieux majordome royal. Celle d'Aper-El, qui était alors le vizir d'Amenhotep III, et aussi le précepteur de l'adolescent. Celle des premiers prêtres du culte d'Aton : Meryrê Ier et Toutou. Et comment ne pas mentionner les voix de Souty et de Hor, ces deux architectes qui étaient tout aussi géniaux que le fils de Hapou ? Ce sont eux qui rédigèrent ce texte funéraire exaltant déjà un dieu étrange, un Amon solaire, bien différent de celui que nous imaginions alors. Comment croire que le pharaon en devenir ne fut pas ému en parcourant cet hymne que j'ai, une fois encore, recopié pour toi :

« Salut à toi, Rê parfait qui irradie dès l'aube. Tes rayons sont dans les visages, mais on ne peut les percevoir. L'or fin, lui-même, ne peut être comparé à ta lumière. Constructeur, tu as forgé ton corps dans l'or. Tailleur qui t'es taillé toi-même, ô sculpteur qui n'a jamais été sculpté. Ô l'unique sans pareil, qui traverse le temps éternel, dominant les millions de chemins placés sous ta conduite.

« Quand tu traverses le ciel, chacun peut te voir, mais tu chemines aussi caché pour leurs regards. Dès l'aube de chaque jour tu te manifestes, et la navigation est prospère, conduite par Ta Majesté. En une courte journée, tu parcours un chemin long de dizaines de millions de lieues ; mais chaque jour pour toi dure le temps d'un instant. Lorsque tu te couches, tu achèves pareillement les heures de la nuit. Tu poursuis cette course, sans apporter de trêve à tes efforts. Tous les yeux voient grâce à toi, mais ne pensent plus le faire lorsque Ta Majesté est couchée. Tu fais se lever le monde lorsque l'aube étincelle.

Mais, lorsque tu te couches dans l'horizon, le monde s'endort comme s'il était mort. Salut à toi, Aton du jour, qui as créé les humains et qui les as fait vivre, grand faucon aux plumes bigarrées, qui est venu à l'existence en s'élevant lui-même, apparu seul, sans avoir été mis au monde, Horus l'aîné, qui est au cœur de Nout la Céleste, à qui l'on prodigue les cris d'allégresse quand il se lève comme lorsqu'il se couche, forgeron des produits de la terre. Amon des hommes, qui conquiert les Deux Terres du plus grand au plus petit, mère bienfaisante des dieux et des humains, artisan patient, qui connaît la fatigue tandis qu'il les façonne en nombre sans limites, berger vaillant, protégeant son troupeau, l'asile qui lui permet de vivre. Courant, se hâtant, se pressant, tu es Khépri[33]*, à la naissance illustre, élevant ta beauté dans le corps de Nout la Céleste. Tu es celui qui, chaque jour, atteint l'extrémité des terres, tandis que le regardent ceux qui marchent sur elles, éclairant dans le ciel les devenirs du jour. Tu composes les saisons avec les mois, tu tisses à ton gré la chaleur, à ton gré la fraîcheur. Tu permets que les corps se délassent, en les embrassant. La terre tout entière s'agite, joyeusement, pour ton lever quotidien et te vénère*[34]. »

Oui, mon frère Anoukis, à la voix du père d'Akhenaton et des prêtres d'Hermopolis, d'autres voix creusèrent leur sillon dans le cœur fertile de « Celui qui fut bénéfique à Aton ». Et, un matin, la lumière en a jailli.

Reçois mes amitiés. Et partage-les avec ta tendre épouse.

À propos, as-tu remarqué que la bière fabriquée par ce coquin de Nébamon n'a plus la qualité de naguère ? Je ne sais pas quelle sorte d'orge il utilise, ni de quelle palmeraie proviennent les dattes qui donnent cet arrière-goût sucré, mais cette bière n'a plus rien à voir avec celle que nous buvions jusqu'à rouler par terre entre nos heures de cours, à l'école des scribes. Si tu connais un bon brasseur dans ma région, n'hésite pas à me donner son nom...

Le Caire

Judith fit un bond en arrière, manquant de peu d'être écrasée par un taxi qui venait de griller le feu rouge.

— Décidément, pesta la jeune femme, traverser une rue du Caire est un véritable défi lancé à la vie !

— On finit par s'habituer, commenta son compagnon avec un demi-sourire. Le tout est d'assimiler la règle du jeu. Vous avez vu ce chauffard ? À mon avis, il doit en être à son cinquantième feu brûlé de la journée. Néanmoins, pour des raisons quasi mystiques, il respectera le cinquante et unième. Pourquoi ? Ne me le demandez pas. C'est un peu comme à la roulette russe. Le joueur marque un temps d'arrêt et relance le barillet.

Judith Faber désigna du doigt un immeuble imposant dont on pressentait qu'il avait dû connaître une époque glorieuse.

— Il est affligeant de voir dans quel état sont réduites ces magnifiques bâtisses des années 1930. Dire qu'à cette époque certains quartiers de la capitale égyptienne n'avaient rien à envier à ceux des grandes agglomérations occidentales.

— Vous ne croyez pas si bien dire. Aujourd'hui, ironie du sort, on constate souvent que les temples et les monuments antiques sont mieux entretenus que les édifices modernes.

Il demanda en s'épongeant le front :

— C'est encore loin ? On étouffe.

Judith jeta un coup d'œil sur le carré de papier où elle avait noté l'adresse.

— 23, rue Kasr el-Nil... Nous y sommes presque.

— Il faut vraiment que j'aie de l'affection pour vous, Judith. M'entraîner sous plus de trente degrés pour rencontrer un homme qui ne nous apprendra rien de plus que nous ne sachions déjà.

— Détrompez-vous. Je suis persuadée que nous ne serons pas venus pour rien. Vous verrez, le docteur Yacoub n'est pas n'importe qui. C'est un endocrinologue de réputation mondiale.

Lucas afficha une moue sceptique.

— Vous avez l'art d'enfoncer des portes ouvertes.

— Et vous, professeur, celui de vouloir les garder fermées à tout prix.

Elle poursuivit sur sa lancée :

— Je repense aux critiques proférées par nos deux épistoliers à propos du clergé d'Amon. Je les trouve quelque peu exagérées. Bien sûr que les temples engrangeaient d'importantes quantités de blé, d'or et de pierres précieuses. Mais n'était-ce pas une manière pour le monarque de démontrer sa piété et son indifférence à l'égard des biens matériels, alors que, dans le même temps, le temple lui offrait la sécurité d'une banque ? De surcroît, si la crue annuelle tournait mal, on pouvait toujours puiser dans les réserves pour venir en aide à la population. Non, je crois que nos deux lascars ont fait preuve d'une grande partialité.

Lucas ouvrit la bouche pour commenter, mais n'en

eut pas le temps. La jeune femme venait de s'engouffrer dans le hall d'un immeuble.

Il lui emboîta le pas, et presque aussitôt laissa échapper un juron. Sur la porte de l'ascenseur, on avait posé un rectangle de carton sur lequel une main avait griffonné quelque chose à la hâte. Pas besoin de savoir lire l'arabe pour deviner que la machinerie était en panne.

— Je cauchemarde ! À quel étage habite ce monsieur ?

— Pas de panique. Il n'est qu'au sixième.

Philippe Lucas écarquilla les yeux.

— Il n'est qu'au sixième ? Vous n'avez donc aucune pitié ?

Pour toute réponse, Judith emprisonna le bras de son compagnon et l'entraîna vers l'escalier.

Après plusieurs haltes, ponctuées par une série d'imprécations, ils arrivèrent à destination.

La jeune femme sonna à la seule porte de l'étage. Au bout de quelques minutes, un homme d'une cinquantaine d'années, le crâne dégarni, apparut dans l'encadrement.

— *Ahlan wa sahlan*, lança-t-il avec un sourire chaleureux. Soyez les bienvenus.

Judith fit les présentations.

— Professeur Philippe Lucas, docteur Michel Yacoub.

— Enchanté, répliqua le médecin en tendant la main à l'égyptologue. C'est un honneur. J'ai beaucoup entendu parler de vous.

Constatant l'air épuisé de son hôte, il secoua la tête, navré :

— Ah ! Ces maudites pannes d'ascenseur !

Puis il leva les yeux au ciel avec lassitude.

— Égypte, pays des dieux, pays de la patience. Entrez, entrez, je vous en prie !

C'était un étrange décor, d'un temps révolu. Boiseries,

fauteuils au dossier en macramé... Un grand plateau de cuivre ciselé, posé sur un trépied, servait de table basse. Un narguilé se dressait dans un coin. Les murs étaient couverts de tableaux : des peintures à l'huile représentant des sites de la capitale égyptienne et des paysages, des aquarelles d'un goût douteux et, comme chez la plupart des bourgeois égyptiens, quelques lithographies du fameux peintre orientaliste écossais, David Roberts.

— Que puis-je vous offrir à boire ? s'enquit le médecin.

— N'importe quelle boisson fraîche fera l'affaire, répondit Judith.

Lucas confirma.

Le médecin apostropha un personnage invisible. Un serviteur pénétra dans la pièce, très grand, la peau sombre, presque ébène, drapé dans une tunique de soie, une large ceinture bayadère autour de la taille. Il devait appartenir à ces rares Soudanais qui avaient servi naguère la bourgeoisie égyptienne. Aujourd'hui, c'était plutôt des Philippins que l'on croisait dans les foyers. Yacoub lui transmit ses ordres et s'installa dans l'un des fauteuils.

— Alors, lança-t-il à l'attention de Judith. Toujours plongés dans vos vestiges ?

— Toujours, docteur. On ne se guérit pas de ce genre de passion.

— Je comprends. Néanmoins, contrairement à vous, moi, c'est le vivant qui m'intéresse. Les vieilles pierres ne m'inspirent rien.

Il se pencha vers son hôte.

— Ce qui n'est pas votre cas, j'imagine.

Lucas accompagna sa réponse d'un haussement d'épaules.

— La saturation commence à me gagner. C'est l'âge, je suppose. Et j'ai tant vu.

Le médecin afficha un sourire.

— L'âge, mon cher. Le châtiment des dieux.

— À propos des dieux, intervint Judith, vous êtes-vous penché sur le nôtre ?

— « Celui qui fut bénéfique à Aton ». « Le serviteur du globe Aton ». « Celui qui est agréé par Aton »... On se perd dans la traduction du terme.

Il attendit que le serviteur posât sur le plateau de cuivre une carafe de limonade et des verres avant d'ajouter :

— Bien sûr. Depuis que j'ai reçu votre courrier, je n'ai fait que réfléchir au problème. Une bien étrange affaire...

— Et ?

— Je crois pouvoir vous soumettre une hypothèse. Sous toutes réserves.

Judith désigna son compagnon.

— Je préfère vous avertir : vous avez devant vous le pharaon des sceptiques.

— Qui pourrait lui en vouloir ? Cette histoire est tellement complexe. Ah ! si seulement nous avions pu analyser la dépouille d'Akhenaton !

Il enchaîna très vite à l'attention de Lucas :

— Car, si j'ai bien compris, les égyptologues ne parviennent toujours pas à se mettre d'accord sur l'identité de cette mystérieuse momie retrouvée, il y a quelques années, dans la vallée des Rois ?

— Vous voulez parler sans doute de l'occupant de la tombe KV55 ?

— Oui. Depuis que Judith m'a contacté, j'ai cru utile de me documenter un peu sur la vie du personnage. Alors, qu'en est-il ? S'agit-il ou non d'Akhenaton ?

Lucas se cala confortablement dans le fauteuil.

— Comme vous venez de le dire, l'histoire est des plus complexes. Tout a commencé au début du mois de janvier 1907. Une expédition organisée par un certain Theodore Davis, sous la houlette d'un archéologue anglais du nom d'Edward Aryton, se lança dans une série de fouilles dans la vallée des Rois. La chance aidant, ils découvrirent une tombe – identifiée depuis comme étant la tombe n° 55. Elle était située non loin de celle de Ramsès IX, presque à l'opposé de l'endroit où, une quinzaine d'années plus tard, lord Carnarvon allait mettre au jour la célèbre sépulture de Toutankhamon. Avant d'aller plus loin dans mon récit, je dois vous préciser un détail important. Cette équipe fit preuve de la plus incroyable négligence. Pour tout dire, c'est l'une des fouilles les plus catastrophiques qui se soit jamais déroulée dans la vallée des Rois ou ailleurs. Le rapport – mot que j'utilise pour simplifier – fut totalement décousu. Les divers comptes rendus rapportés par les témoins oculaires se contredisent. Les descriptions sont soit négligées soit incomplètes. Nous ne pouvons nous fier qu'à de vagues relations, incertaines et souvent contradictoires. Si la tombe en soi se révèle un puzzle, le récit de sa découverte en est un autre.

— À croire que les dieux rejetés par Akhenaton se sont vengés de lui après sa mort.

— Allez savoir ! lança Lucas.

Il poursuivit :

— Parvenue à l'entrée de la tombe, l'équipe aperçut un couloir en pente qui menait vers l'intérieur. Il était bouché par endroits et parsemé d'innombrables débris. Au bout de ce couloir filait un escalier d'une vingtaine de marches, taillé dans la roche. Tout au bout, les hommes se heurtèrent à un mur composé – au dire des témoins – de fragments de calcaire grossièrement dressés, qui reposait non pas sur la roche, mais sur des déblais qui emplissaient le passage ; ce qui était inhabituel. Une fois le passage dégagé, surgit un nouvel obstacle : un second mur formé lui aussi de blocs de calcaire assemblés avec du mortier et tapissés de ciment. Sur la surface, on avait gravé un sceau ovale figurant un chacal couché au-dessus de neuf prisonniers aux bras attachés. Précisons que ce motif qui apparaît souvent à l'entrée des tombes thébaines a été également retrouvé sur le passage muré qui menait à la tombe de Toutankhamon. Derrière ce mur enfin, se trouvait la chambre funéraire. Au grand effarement de l'équipe, la pièce était dans un désordre apocalyptique. Des panneaux de bois, des boîtes, des briques de boue, des éclats de pierre et même les outils des ouvriers gisaient pêle-mêle sur le sol, le tout recouvert d'une fine pellicule d'or.

— Une pellicule d'or ?

— Une vraie pluie d'or, à en croire le témoignage d'une certaine Emma Andrews qui faisait partie du groupe. Dans le journal qu'elle a publié, elle dit que toutes les pièces du sanctuaire étaient couvertes d'une couche d'or, qu'elle avait l'impression de marcher sur de l'or et que même l'ouvrier égyptien qui travaillait avec eux à l'intérieur de la tombe avait de l'or collé à ses cheveux crépus. Il est probable que cet or avait dû se détacher des objets les plus fragiles, s'élever en volutes vers le plafond avant de se redéposer.

— Mais ce désordre... L'œuvre de pillards, sans doute ?

— Impossible. Jamais des voleurs n'auraient pris la peine de refermer la place après leur passage. De plus, les pièces précieuses étaient toujours disséminées sur les lieux. Tout semblait indiquer qu'une deuxième ouverture avait succédé à la fermeture originelle et que l'endroit avait subi une désacralisation.

— Une désacralisation ?

— C'est une action qui consiste à dépouiller la tombe de tous les signes sacrés qui y sont représentés. En l'occurrence, toute allusion au dieu Aton ou à Akhenaton lui-même.

— Je suppose qu'il y a une symbolique religieuse derrière ce geste ?

— Et la damnation au bout. Pour les Égyptiens, une âme ne pouvait accéder à la vie éternelle que si la dépouille, l'image ou au moins le nom du défunt lui survivaient. Si par malheur tout souvenir du mort venait à disparaître, son esprit était condamné à périr également, avec pour conséquence l'effroyable perspective tant redoutée : la seconde mort, définitive celle-là. Mais, au-delà de cette action, le plus curieux était le fatras d'objets funéraires qui meublait la tombe. La plupart d'entre eux avaient des origines diverses et ne constituaient pas un ensemble cohérent. S'amoncelaient des « briques magiques [35] », des vases de faïence, des boîtes et des amulettes, la base d'une statue de bois, des statuettes. Sur un vase de toilette était inscrit le nom d'Amenhotep III. Sur un autre, les noms de la reine Tiyi. Une amulette en pierre portait le seul nom de la reine. Un fragment de bois portait les noms de ce même roi et de la reine. Dans les déblais, on découvrit aussi de nombreux morceaux de petits sceaux d'argile. Sur certains était gravé le cartouche de Toutankhamon.

— Toutankhamon ? s'exclama Michel Yacoub. Mais il n'a régné que beaucoup plus tard !

— Ainsi que je vous le faisais remarquer, il y a un

instant, nous sommes devant une incohérence totale. En tout état de cause, ce capharnaüm avait été provoqué par des allées et venues ; comme si, sporadiquement, on avait cherché à retirer ou à replacer certains éléments. Pour compliquer les choses, le plafond était fissuré, et de l'eau s'était infiltrée, détériorant les objets – surtout ceux qui étaient taillés dans le bois –, abîmant la plupart des panneaux, les rendant quasi illisibles. Notons que le 16 janvier 1907, soit une dizaine de jours avant l'ouverture de la tombe, une pluie de deux heures avait été enregistrée, et il est vraisemblable que les traces d'écoulement furent celles d'un orage récent et non les marques d'intempéries passées. La tombe ne renfermait pas de sarcophage de pierre, ce qui indique peut-être qu'elle avait été occupée dans l'urgence. En revanche, dans une niche creusée dans le mur de droite, on pouvait apercevoir quatre vases canopes protégés par des couvercles en forme de tête humaine, portant une perruque courte de style militaire, coiffure « à la garçonne » très populaire à la fin de la XVIIIe dynastie et dont la mode fut probablement lancée par la reine Néfertiti.

— Pardonnez mon ignorance, questionna le médecin, mais à quoi servaient ces vases canopes ?

— Ce sont des vases funéraires qui contiennent les viscères des morts embaumés.

— A-t-on retrouvé des viscères dans ceux-ci ?

— Au dire des protagonistes, deux des trois vases soumis à analyse contenaient une masse dure, compacte, de couleur noire, semblable à de la poix, entourant une zone centrale bien définie, faite d'une matière différente, de couleur brune et friable. Au centre de la salle se trouvait un lit en bois, orné de têtes de lion, sur lequel avait dû reposer le cercueil. Je dis « avait dû », car le support, rongé par l'humidité, avait fini par céder, et le cercueil avait basculé sur le sol. Baignant dans une mare d'eau, le corps était dans un état de décomposition avancé, et le crâne fortement endommagé. Dans l'ouvrage qu'il a publié[36], Theodore Davis raconte qu'ils se sont trouvés devant la dépouille d'une personne assez petite de taille, aux mains délicates. La bouche partiellement ouverte présentait une denture parfaite. Le corps était enfermé dans un tissu de fine texture et de couleur sombre. Suspectant la présence de dommages provoqués par l'humidité, Davis précise qu'il a touché avec précaution l'une des dents et qu'aussitôt elle est tombée en poussière.

Lucas but une lampée de limonade avant de reprendre :

— Les noms gravés sur le cercueil avaient été grattés, et le masque d'or qui, normalement, aurait dû figurer sur le couvercle était absent. Les inscriptions incrustées sur les bandelettes d'or qui ornaient le bord supérieur de la cuve et la colonne centrale du couvercle avaient été excisées et les textes inscrits sur les vases canopes martelés. On voyait bien que ces destructions n'étaient pas d'origine naturelle, mais qu'elles avaient été perpétrées par la main de l'homme. Le...

— Professeur, coupa Yacoub, vous ne me dites toujours pas qui était le titulaire de cette tombe ?

— J'y viens. Pour Davis, c'était celle de la reine Tiyi, puisque l'on avait retrouvé son nom et celui de son époux sur divers objets. Par contre, telle n'était pas l'opinion du représentant du Service des antiquités, un nommé Weigall, lequel estimait que les ossements étaient ceux d'Akhenaton. À l'appui de sa théorie, Weigall faisait observer que la représentation et le nom de Tiyi étaient restés intacts, tandis que les inscriptions qui évoquaient

Akhenaton avaient été éradiquées. Il fallait trancher. Pour ce faire, Davis sollicita les services d'un médecin européen et d'un obstétricien américain, qui se trouvaient en Égypte à ce moment-là. Il les pria d'examiner le corps, ou du moins ce qu'il en restait, et de se prononcer sur son sexe. Assez rapidement, semble-t-il, les deux médecins décrétèrent que le pelvis était celui d'une femme. On imagine le soulagement de Davis ! Il tenait sa reine ! Malheureusement, sa joie fut de courte durée. Quelque temps plus tard, en juillet 1907, les ossements, les bandelettes pourries et les bandeaux d'or furent envoyés à Elliot Smith, un professeur d'anatomie de l'École de médecine du Caire. Et là, nouveau rebondissement ! Smith affirma que l'on n'était pas en présence d'une femme, mais d'un jeune homme, que ce jeune homme était mort entre vingt-trois et vingt-cinq ans et... détail étonnant, qu'il souffrait d'hydrocéphalie. Étant donné que, sur un certain nombre de fresques ou de sculptures, on aperçoit Akhenaton avec un crâne ovoïde, Smith en conclut que la momie était sans erreur possible celle du pharaon.

— Comment a-t-il pu situer l'âge avec autant de précision ?

— Ce n'est pas à vous, médecin, que j'expliquerai ce que sont les épiphyses...

— Les extrémités de ce que nous appelons les os longs... Mais quel rapport ?

— Certaines d'entre elles n'étaient pas encore soudées, et la troisième molaire droite n'était pas encore sortie, ce qui, selon Smith, plaidait pour un squelette relativement jeune.

Yacoub parut perplexe, mais laissa Lucas continuer son exposé.

— Vingt-quatre ans plus tard, en 1931, un troisième spécialiste du nom de Derry ajouta son grain de sel, ou, devrais-je dire, de sable. Après un examen approfondi, il déclara que cette histoire d'épiphyses ne tenait pas la route et – plus ennuyeux encore pour la thèse de Davis – que la momie ne présentait pas de signe d'hydrocéphalie, faisant observer – ce que de nombreux spécialistes savaient déjà – que le personnage ne pouvait être Akhenaton puisque celui-ci avait accédé au trône aux alentours de sa quinzième année et qu'il avait régné dix-sept ans. Il était donc mort à plus de trente ans. Par conséquent, l'âge de la momie était incompatible avec celui du pharaon. Il était impossible de faire tenir tous les événements du règne dans une durée de vie aussi courte.

— Que de thèses contradictoires !

— Il existe aussi un élément plus déconcertant, lança Judith. La main gauche de la momie était posée sur sa poitrine, tandis que le bras droit était tendu le long du corps.

— Et alors ? s'étonna le médecin. Qu'est-ce que cela signifie ?

— C'est une attitude rituelle, une posture traditionnelle généralement adoptée par... les reines d'Égypte.

Michel Yacoub ferma les yeux un instant comme s'il cherchait à remettre de l'ordre dans ses pensées.

— Une histoire de fou...

— Nouvel épisode, reprit Lucas. En 1963, les professeurs Harrison de Liverpool et Battawi du Caire, assistés d'un radiologue égyptien, soumirent les ossements à de nouveaux tests. Cette fois, la conclusion révéla que certaines parties du squelette témoignaient d'une tendance à la féminité compatible avec une très légère forme d'hypogonadisme.

— Une insuffisance de la sécrétion hormonale de l'hypophyse et donc une diminution de la sécrétion des hormones sexuelles...

— C'est bien cela, docteur. Pour ces chercheurs, le sujet était indiscutablement masculin. Mais – car il y a toujours des « mais » dans cette aventure – il était impossible de préciser s'il était bien mort dans sa vingtième année.

Dans un mouvement fataliste, Philippe Lucas leva les mains et les laissa retomber sur ses cuisses en concluant :

— Cette tombe 55 est en fait un labyrinthe.

— Mais vous, répliqua le médecin, vous avez bien une idée ?

— Pour moi, il ne fait aucun doute que la momie est celle d'Akhenaton.

Le docteur Yacoub réprima un sursaut.

— Akhenaton ? Vous rejoignez donc la théorie d'Elliot Smith.

— En effet. Je pense qu'il a vu juste. De plus, les estimations liées à l'âge de la momie ont encore évolué. Les études les plus récentes démontrent que l'occupant de la tombe serait plutôt mort entre trente et trente-cinq ans. Ce qui rend tout à fait envisageable l'idée qu'il pourrait bien s'agir d'Akhenaton.

— Quelque chose m'échappe. La plupart des experts n'ont-ils pas admis qu'au départ cette tombe avait été apprêtée pour accueillir une femme ?

— C'est exact.

— La reine Tiyi, donc ?

— Non. La favorite royale. La seconde épouse d'Akhenaton.

— Une seconde épouse ?

— Dont nous ne savons pratiquement rien sinon

qu'elle était peut-être d'origine étrangère. Mitannienne vraisemblablement. Akhenaton, comme ses prédécesseurs, possédait un important harem, et des épouses dites secondaires. Mais, d'entre toutes ces favorites, c'est certainement Kiya – c'était son nom – qui occupa la place la plus importante. En 1959, un égyptologue du nom de Hayes attira l'attention sur un vase de toilette datant de l'époque d'Akhenaton conservé au Metropolitan Museum of Art et sur lequel étaient inscrits un texte et le nom d'une reine dite secondaire. Le texte disait ceci : *« L'épouse et la très aimée du roi de la Haute et de la Basse-Égypte, vivant de vérité, maître du Double Pays Néferkheperourê Ouânrê, le bel enfant d'Aton vivant, qui vivra pour toujours et à jamais, Kiya. »* Or cette même formule a été décryptée, à quelques variantes près, sur la bande centrale du couvercle qui fermait le cercueil de la tombe KV55, sur les bords gauche et droit de la cuve, ainsi que sur les vases canopes, avant d'être modifiée pour s'appliquer à un roi. Donc...

— ... Ce serait pour recevoir sa dépouille que la tombe 55 avait été préparée ?

— C'est fort probable. Ensuite, pour des raisons difficiles à cerner, on a décidé à la hâte de supprimer les seins, d'ajouter un uræus, de ciseler le contour du bandeau royal, de greffer une barbe et des sceptres et, pour finir, de faire disparaître les noms et titres de Kiya pour les adapter à un roi. Ainsi que l'explique dans son ouvrage le chercheur français Marc Gabolde, les retouches qui ont affecté le couvercle du cercueil, bien que difficiles à observer, se distinguent quand même à hauteur du sein et au-dessus du poignet gauche. L'addition d'un uræus, du bandeau royal et des sceptres n'a pas nécessité de profondes modifications. En revanche, force est de reconnaître que l'ajout d'une barbe n'est pas évident à prouver.

— Ce qui m'échappe, en imaginant que vous ayez raison, est comment expliquer cette inversion ?

— Une fois encore, nous en sommes réduits à conjecturer. Il est possible que la décision fut prise – sans doute sous le règne de Toutankhamon – d'abandonner la cité solaire fondée par le roi hérétique. Il a donc fallu déménager à la hâte les sépultures afin d'éviter qu'elles ne soient pillées par des brigands. Les dépouilles d'Akhenaton et de Tiyi furent transportées dans la vallée des Rois. Une partie du matériel funéraire préparé pour la reine se retrouva dans la fameuse tombe 55, tandis que sa momie fut placée auprès de celle de son époux, Amenhotep III, dans la branche occidentale de la vallée. Akhenaton, quant à lui, fut installé dans la tombe. Ce déménagement s'explique si l'on suppose que Toutankhamon fut bien le fils d'Akhenaton et qu'il souhaita enterrer son père dans un abri plus sûr que ne l'était la nécropole d'Amarna. En revanche, il était indispensable qu'il fît disparaître tout indice qui eût permis d'identifier la dépouille royale. Il évita donc d'utiliser le matériel funéraire de la première inhumation d'Akhenaton dont les objets furent réduits en pièces et utilisa les éléments épars – le cercueil entre autres – qui avaient été prévus pour Kiya. Par la suite, il se peut que des intrus aient pénétré dans les lieux et qu'ils se soient livrés à d'autres changements. Malheureusement, les derniers Égyptiens à s'être introduits dans la place ne nous ont laissé que d'infimes indices permettant de cerner à quelle époque eut lieu leur ultime intrusion. On peut néanmoins présumer qu'elle se produisit entre le règne de Horemheb et celui de Ramsès Ier.

L'égyptologue leva un regard interrogateur vers Judith.

— Vous n'êtes pas d'accord, bien entendu.

— Si. Pour ce qui est du scénario que vous venez de décrire. Par contre, je ne crois pas que l'occupant de la tombe 55 fût jamais Akhenaton.

Yacoub écarquilla les yeux.

— Alors qui ?

— Un autre personnage. Un homme.

Elle ajouta sur sa lancée :

— Mais je préfère ne pas entrer dans un débat qui nous mènerait aux aurores. Permettez-moi de vous rappeler que nous sommes venus ici dans un but précis : connaître vos conclusions. Que vous inspire l'étrange physique de notre pharaon ? A-t-il pu, oui ou non, être victime d'une quelconque maladie hormonale ?

En guise de réponse, le médecin quitta son fauteuil et se dirigea vers un petit secrétaire. Après avoir récupéré quelques notes manuscrites, il regagna sa place.

— J'ai recensé la plupart des théories proposées à ce jour...

Il énuméra :

— Syndrome de Klinefelter, syndrome de Babinski-Fröhlich, hydrocéphalie, syndrome dit de Marfan, et, enfin, syndrome de Barraquer et Simons. Je vous dis tout de suite que la première hypothèse et la deuxième sont irrecevables.

— Nous savons en quoi consiste le syndrome de Fröhlich, releva Philippe Lucas. Et je suis de votre avis.

— Vous pouvez l'être. De mémoire de médecin, on n'a jamais vu patient atteint par cette maladie qui soit capable d'engendrer.

— De même qu'il n'existe pas de Fröhlich dit « léger »,

précisa Lucas en jetant un coup d'œil moqueur en direction de Judith.

Et il s'empressa de chuchoter :

— Une première hypothèse qui s'écroule...

Le médecin poursuivit :

— Nous pouvons aussi éliminer le syndrome de Klinefelter.

— Pourtant, fit observer Judith, j'ai lu qu'il était associé à certaines caractéristiques féminines.

— C'est exact. Il a pour signe une gynécomastie occasionnelle, c'est-à-dire l'apparition de seins.

— Alors pourquoi le rejeter ?

— Pour les mêmes raisons qui me font refuser le syndrome de Babinski-Fröhlich. Indépendamment de la gynécomastie, le syndrome de Klinefelter est caractérisé par des testicules de petite taille et de consistance molle, des caractères sexuels secondaires peu marqués et, dans la très grande majorité des cas, il est aussi associé à ce que nous appelons une azoospermie. Une absence totale de spermatozoïdes. Dans ces conditions, je ne vois pas comment Akhenaton aurait pu avoir six enfants.

— Illogique en effet, surenchérit Lucas.

— Quant à l'hydrocéphalie, vous savez sans doute qu'elle est causée soit par une hypersécrétion de liquide céphalo-rachidien, soit par une rétention de ce liquide due au blocage des orifices de communication. Une partie de la moelle épinière et de ses enveloppes fait hernie à travers cette ouverture, ce qui donne cette apparence ovoïdale que l'on remarque sur les fresques qui représentent Akhenaton et certains membres de sa famille. On ne survit pas à ce genre de trouble, en tout cas pas jusqu'à la trentaine.

— C'est précisément ce que j'ai expliqué à notre amie.

Le copte se contenta d'une approbation silencieuse et continua :

— De nos jours – lorsqu'il n'est pas rendu inutile par l'importance des altérations cérébrales –, un traitement est possible ; mais rien n'est moins sûr que la guérison. À l'époque d'Akhenaton, et quel que fût le talent des médecins égyptiens, cette intervention eût été impensable. Si quelque intrépide s'y était risqué, son acte aurait entraîné la mort certaine du patient.

Le médecin prit une brève inspiration :

— Reste le syndrome de Marfan et celui de Barraquer et Simons. La définition du premier se résume en quelques mots : c'est une maladie génétique des tissus conjonctifs qui a pour conséquence d'affecter le squelette, les yeux, les poumons, les vaisseaux sanguins, mais surtout – et c'est essentiel – l'aorte. Si l'on observe le patient, on constate que les bras sont anormalement longs, de même que les jambes. Les anomalies sont maximales au niveau des mains. Lorsque les doigts sont à demi fléchis et reposent sur un plan dur, la main ressemble à une araignée, et le sujet enserrant son poignet peut atteindre et même couvrir le pouce avec l'auriculaire. Nous notons également une déformation de la cage thoracique. Il existe aussi...

Judith interrompit vivement le médecin.

— Docteur Yacoub, ce que vous nous décrivez là pourrait aisément s'appliquer au physique d'Akhenaton.

— À la condition de nous limiter strictement à l'analyse du squelette. Or le squelette n'est pas seul en cause. Je vous ai cité les yeux. Il y a risque de décollement rétinien, de myopie, voire de cécité. L'atteinte oculaire est présente chez près de 60 à 80 % des patients. Pour ce que nous savons, Akhenaton n'était pas aveugle. Plus grave encore est l'affection cardio-vasculaire. 90 % des patients présentant un syndrome de Marfan meurent soit d'une rupture de l'aorte, soit d'une insuffisance aortique ou mitrale. Je dis bien 90 %.

— Conclusion, observa Lucas, Marfan est lui aussi à jeter aux oubliettes. Reste le syndrome de Barraquer et Simons.

Le médecin posa ses feuillets sur le plateau de cuivre, conserva quelques secondes le silence avant de développer :

— D'entre toutes ces maladies que nous venons de décrire, cette dernière est de loin la plus probable, pour ne pas dire la plus certaine. C'est en tout cas celle qui me paraît le mieux répondre au cas du pharaon. Le syndrome de Barraquer et Simons se définit par des désordres au niveau de la distribution du tissu adipeux, dont l'atrophie progressive dans la moitié supérieure du corps contraste avec un développement hypertrophique dans la moitié inférieure. Cette répartition particulière des tissus graisseux peut effectivement donner un aspect féminin : un bassin large, des hanches de femme.

Les traits de Judith s'éclairèrent d'un seul coup.

— C'est bien ce que je pensais !

Elle pointa son doigt vers l'égyptologue.

— Je ne faisais donc pas fausse route. Akhenaton a pu être victime d'une maladie hormonale.

Le médecin confirma.

— Ajoutons que cette affection a souvent pour conséquence un grave dysfonctionnement rénal qui peut déboucher sur une urémie et donc... sur la mort. À ces symptômes, il faut ajouter des problèmes hépatiques. Dans ce cas aussi, le patient n'aurait guère de chance de vivre très vieux. Disons qu'il ne dépasserait pas les trente ans, au plus.

Judith asséna :

— L'âge probable du décès d'Akhenaton.

L'égyptologue décida d'intervenir.

— Docteur Yacoub, vous n'émettez là qu'une supposition. Vous ne nous avez proposé aucune preuve scientifique. Rien qui soit déterminant.

Le médecin parut surpris par la remarque.

— Que je sache, professeur, depuis près d'un siècle, la plupart des thèses qui entourent cette affaire ne sont-elles pas fondées sur des suppositions ? Alors, jusqu'à preuve du contraire, permettez-moi de vous dire que d'un point de vue strictement médical, et au vu de l'apparence physique du personnage, rien ne s'oppose à ce qu'Akhenaton ait pu souffrir du syndrome de Barraquer et Simons.

L'égyptologue répéta avec humeur :

— Une supposition.

— Oui, rétorqua Judith. Comme la corégence, comme l'identité du personnage de la tombe KV55, comme l'ascendance de Néfertiti, celles de Tiyi, du « divin père » Ay et de Kiya, comme Toutankhamon, comme...

— J'ai compris, mademoiselle Faber, grommela Lucas.

Il se leva d'un bond et lança :

— Venez. Il se fait tard.

Anoukis à Keper

Encore une grève. La troisième en deux mois. Comme la dernière fois, elle a été déclenchée par ces fainéants d'ouvriers qui travaillent à Set Maât[37] au pied de la montagne de Thèbes, sur la rive des morts. Ne voient-ils pas qu'en négligeant la protection des sépultures royales ils mettent en péril la « tombe de millions d'années » ? Aux dernières nouvelles, les ouvriers se plaindraient de la lenteur du ravitaillement et de la médiocrité du salaire. Le chef d'équipe affirme que la mesure de grain avec laquelle on pèse les rations est fausse. Après vérification, il était dans l'erreur. Bien sûr, nous avons connu des scribes véreux qui trichaient en se mettant, à chaque ration versée, un ou deux litres de grain dans la poche, mais tout de même ! Tous les scribes ne sont pas des brigands. Tu n'es pas sans savoir que le site est loin de tout, planté en plein désert, sans eau ni vivres. On a tenté de creuser un énorme puits dans l'espoir d'y trouver une nappe liquide, mais sans succès. Reste cette béance, cette bouche ouverte sur le ciel. Pourtant, Amenmhat, le vizir de la ville du Sud, qui est aussi mon ami, se donne un mal fou pour approvisionner régulièrement le chantier. Il a même poussé le dévouement jusqu'à organiser un va-et-vient qui permet à chaque voyage d'échanger les vêtements sales des ouvriers contre du linge propre. Et voilà comment il est remercié de ses prévenances ! Bientôt, les ouvriers ne se contenteront plus d'être rémunérés en céréales. Ils exigeront des pigeons grillés, de la bière et, qui sait même, de ces nouveaux oiseaux qui pondent plus d'un œuf par jour, ramenés des campagnes de Djehoutymes III ! Tu l'as compris, je parle des poules. Ah ! si seulement ce mécréant de Horemheb consacrait plus de temps à faire régner l'ordre dans le pays plutôt que de dépenser toute son énergie à briser les statues d'Akhenaton ! Quand je pense qu'il doit toute sa carrière au pharaon ! Le renégat ! Rien que d'écrire son nom, mon esprit se brouille, et la colère déferle dans mon sang. Alors j'arrête. Je préfère continuer d'évoquer le souvenir de celui que j'aimais.

Ainsi que je te le confiais précédemment, une fois Djehoutymes mort, Akhenaton jusque-là ignoré fut hissé vers les cimes légendaires. À mon avis, c'était trop tard. Des blessures invisibles avaient déjà laissé leurs empreintes dans le cœur du futur pharaon.

Et les grains continuèrent de filer dans le sablier. Ils se figèrent en l'an XXXVII du règne d'Amenhotep. Ce fut au tour du vieux pharaon de rendre l'âme. Il avait tout juste quarante-sept ans. Les crieurs publics parcoururent aussitôt les rues de Thèbes, de Memphis, de tous les villages de la Vallée afin de répandre la nouvelle et d'informer le peuple de la mort de « La Majesté d'Horus, Taureau Puissant, Grand par la force, qui bat les Asiates, Roi de Haute et de Basse-Égypte, Neb-maât-Rê, Fils de Rê, Amenhotep, Prince de Thèbes ».

L'embaumement du prince défunt commença le jour même, après le coucher du soleil, à la lueur fantomatique des torches. Bien évidemment, le pharaon eut droit à un traitement de première classe. La deuxième et la troisième sont réservées aux modestes gens qui sont dans l'incapacité de payer la somme astronomique d'un talent d'argent ; pour les plus infortunés, on se contente d'injecter dans leurs intestins du jus de *syrmaïa* – que les Grecs appellent du raifort –, puis on sèche leur dépouille dans un bain de natron. Mais comment imaginer qu'il pourrait en être de même pour un dieu ! Sacrilège !

Dans l'une de tes missives, tu as cité le nom de Sefrou, l'un des embaumeurs chargés d'apprêter la dépouille royale. Je l'ai bien connu, moi aussi. Il m'a tout rapporté et m'a confirmé que l'on a parfaitement respecté le rituel. Dans un premier temps, le scribe de la mort traça à l'encre rouge une ligne verticale sur le flanc gauche du ventre d'Amenhotep et sur toute la longueur du buste. Le dissecteur tira alors son couteau et, d'un mouvement ample et précis, trancha la paroi abdominale. Il avait à peine terminé son incision qu'il laissa tomber sa lame, releva prestement son long vêtement ample et sortit de la pièce en courant. Aussitôt, ces collègues lui jetèrent les pierres, dont ils s'étaient armés par avance, respectant en cela la tradition : « Ceux qui blessent un homme dans son corps sont foncièrement mauvais et doivent être châtiés. » Un deuxième officiant s'approcha ensuite, enfonça la main dans la cavité béante du ventre et en retira les viscères : le foie, les reins, les poumons, les intestins, mais point le cœur. Il les lava soigneusement avec du vin de palme et les déposa dans les canopes préparés à cet effet. Quelqu'un brisa la cloison médiane du nez avec un burin, un autre introduisit un crochet d'argent dans la narine en poussant en biais vers le haut et retira la masse cervicale de la boîte crânienne. On enduisit les yeux, les oreilles, le nez, l'incision du dissecteur et la bouche de cire d'abeille. Mais, étant donné l'état de la dépouille du pharaon, on ne se limita pas à bourrer le corps évidé avec de la gomme de cèdre, de la myrrhe, des feuilles de tabac et de la cannelle...

Le Caire

— Arrêtez ! s'écria Lucas.

L'égyptologue avait poussé un tel cri que Judith sursauta violemment.

— Que...

— Relisez donc ce passage, je vous prie.

Elle lui jeta un coup d'œil perplexe.

— Quel passage ? Je...

Sans attendre la suite, le Français s'empara du feuillet qu'elle tenait entre ses mains, le parcourut un instant, puis, contre toute attente, partit d'un grand éclat de rire.

— Quand je vous disais que cette correspondance est un faux !

Judith le dévisagea, dépassée.

— Si vous vouliez bien m'expliquer ?

Lucas lut en prenant soin de détacher les mots :

— « *Mais, étant donné l'état de la dépouille du pharaon, on ne se limita pas à bourrer le corps évidé avec de la gomme de cèdre, de la myrrhe, des feuilles de tabac et de la cannelle.* » Vous comprenez maintenant ?

— Désolée. Non. Je ne vois pas.

Il reprit, mais cette fois en scandant :

— Des feuilles de tabac ! Nous sommes supposés être aux alentours du XVe siècle avant Jésus-Christ. Et voilà que cet homme parle de feuilles de tabac ! Du tabac ?

En Égypte ? Cette plante n'a été découverte qu'au XVe siècle après Jésus-Christ, après la découverte du Nouveau Monde par Christophe Colomb ! Vous comprenez ce que je vous disais quand je parlais de mystification ?

D'un seul coup, le visage de la femme vira au blanc. Elle balbutia :

— C'est... C'est... impossible.

— Je ne vous le fais pas dire, ironisa Lucas. Êtes-vous convaincue à présent ?

Judith resta silencieuse, tandis que Lucas se mit à lui tapoter doucement la main comme on console une enfant :

— Allons. Reprenez-vous. L'erreur est humaine.

Il désigna les papyrus :

— Rien ne nous empêche néanmoins de poursuivre notre lecture.

Il ironisa :

— Pour le plaisir.

— Non. Aucun intérêt.

Judith se leva comme un automate et marcha vers la fenêtre.

— C'est fou. J'y ai cru. J'y ai vraiment cru.

— Ce n'est pas grave. Vous n'êtes ni la première ni la dernière à avoir été piégée.

Elle opéra une brusque volte-face :

— Piégée ? Je n'ai pas été piégée ! Non !

— Pourtant, les faits sont là...

— Non ! Il y a une pièce qui manque. Quelque chose qui ne colle pas ! Mais je n'ai pas été piégée !

Avant qu'il n'ait eu le temps de l'arrêter, elle partit vers la porte en courant et s'éclipsa.

Le Caire, trois jours plus tard

Voilà plusieurs heures déjà que la nuit recouvrait la capitale, et le vacarme des klaxons résonnait toujours comme en plein midi.

Au dixième étage de l'hôtel Méridien qui surplombait le Nil, Judith avait l'œil rivé sur l'écran de son ordinateur portable. Elle acheva de parcourir le courrier électronique qui venait de s'afficher et lança la fonction « imprimez ».

Quelques minutes plus tard, elle sortit de sa chambre et se précipita vers celle de Philippe Lucas. Elle frappa. Une fois. Deux. Ce n'est qu'à la troisième que l'égyptologue, cheveux hirsutes, lui ouvrit la porte.

— Que vous arrive-t-il ?

Sans attendre d'être invitée, la femme entra dans la pièce.

— J'ai quelque chose à vous faire lire.

— Maintenant ? En pleine nuit ?

— Maintenant. Tenez.

Elle lui tendit deux feuillets.

Il protesta :

— Je tombe de sommeil !

— Cela ne vous prendra pas plus de deux minutes. Lisez.

Il récupéra ses lunettes sur sa table de chevet, se laissa choir en grommelant sur le bord du lit et se plongea dans la lecture du document.

« DES TRACES DE NICOTINE ET DE COCAÏNE DANS DES MOMIES ÉGYPTIENNES.

Nous sommes en 1992, au Musée égyptien de Munich. Svetla Balabanova, toxicologue et médecin légiste, examine la momie de Henoubtaoui, une prêtresse de la XXIe dynastie (1085-950 avant J.-C.). Avec stupéfaction, elle constate que l'examen révèle des traces de nicotine et de cocaïne. Or ces deux substances ne seront connues dans l'Ancien Monde qu'après l'expédition de Christophe Colomb, soit plus de 2 500 ans plus tard. Afin d'en avoir le cœur net, elle refait une série d'analyses qui, contre toute attente, confirment la première : il s'agit bien de nicotine et de cocaïne. Persuadée qu'il s'agit d'une erreur de manipulation, Svetla Balabanova envoie des échantillons à d'autres laboratoires. Les nouvelles analyses corroborent les siennes. Cette fois, le doute n'est plus permis : la momie de Henoubtaoui recèle les traces de deux substances qui n'apparaîtront en Égypte que vingt-cinq siècles plus tard, au moins.

Afin de faire part de sa surprenante découverte, Svetla Balabanova publie un article qui relance aussitôt la polémique. La réaction ne se fait pas attendre. Elle reçoit quantité de lettres de menaces, voire d'injures. On l'accuse d'avoir falsifié les tests. Pour les archéologues et les historiens, les voyages vers l'Amérique avant Christophe Colomb constituent une impossibilité totale.

De nouveaux examens confirment la présence de la nicotine et de la cocaïne

Svetla Balabanova envisage alors une autre possibilité. Peut-être la momie a-t-elle subi une contamination extérieure. Prudente, la toxicologue effectue un nouveau type d'examen. Elle a travaillé pour la police en tant que médecin légiste. Une méthode infaillible permet de déterminer si un défunt a réellement absorbé de la drogue. Il suffit pour cela d'analyser la gangue des cheveux. Celle-ci conserve les traces des molécules correspondantes pendant des mois, ou indéfiniment en cas de décès. Ce procédé, qui a déjà permis de confondre des criminels, est reconnu par les tribunaux. Une fois encore, l'incroyable résultat s'impose : la gangue des cheveux de Henoubtaoui contient nicotine et cocaïne. L'hypothèse d'une contamination extérieure ne tient donc pas.

Une première piste : les fausses momies

Rosalie David, conservatrice du Musée d'égyptologie de Manchester, est bouleversée par l'article de Svetla Balabanova. Comme ses collègues archéologues, elle ne croit pas un instant à la possibilité d'un trafic commercial transatlantique sous l'Antiquité. Pour elle, il n'existe que deux explications : soit un élément inconnu altère les résultats, soit il s'agit de fausses momies. Cette hypothèse est parfaitement plausible : au XVIe siècle, la poudre de momie était très demandée en Europe. Selon certains médecins, le bitume qu'elle contenait était censé guérir nombre de maladies. Des marchands égyptiens peu scrupuleux fabriquaient de fausses momies à partir des corps de condamnés à mort, auxquels, après dessiccation dans le sable du désert, on faisait subir une momification grossière. Le phénomène connut un nouvel essor au XIXe siècle, avec l'intérêt suscité par l'Égypte après l'expédition de Bonaparte en 1798. Des fausses momies arrivèrent en Europe par bateaux entiers. Certaines étaient même vendues par morceaux.

Cependant, après un voyage à Munich, Rosalie David ne sait plus que penser. En raison de la polémique, on ne l'a pas laissée approcher les momies du musée. En revanche, elle obtient le compte rendu des recherches et en conclut que, compte tenu de la qualité de la conservation et de la qualité des bandelettes, la momie de Henoubtaoui est probablement authentique. Intriguée, elle effectue alors des analyses sur ses propres momies. La conclusion est identique : deux d'entre elles présentent des traces de nicotine.

Cette confirmation prouve donc, de manière indéniable, que l'on connaissait le tabac sous l'Antiquité. Toutefois, elle ne démontre pas qu'il existait à l'époque un trafic commercial entre la Méditerranée et les Amériques.

CETTE DÉCOUVERTE EXTRAORDINAIRE A EU UN PRÉCÉDENT

En 1976, la momie de Ramsès II est ramenée à Paris par Mme Christiane Desroches Noblecourt, égyptologue de grande réputation. Cette momie est reçue avec les honneurs d'un chef d'État. Mais elle est en France pour subir une restauration, en raison de son mauvais état. On effectue alors des prélèvements. Le docteur Michelle Lescot, du Muséum d'histoire naturelle de Paris, effectue elle-même des recherches... et constate la présence de cristaux caractéristiques du tabac. Or Ramsès II est mort en 1213 avant J.-C. Ces traces sont donc *a priori* impossibles. L'affaire provoque une vive émotion dans les milieux archéologiques et historiques. On crie au scandale, à la supercherie. Elle n'aura pas de suite : l'hypothèse d'une liaison entre l'Amérique et la Méditerranée sous l'Antiquité est, du point de vue des historiens, une aberration. Il s'agit obligatoirement d'une erreur, et le scandale est étouffé.

Dans son ouvrage *Ramsès II, la véritable histoire*, Christiane Desroches Noblecourt

> écrit : « *Au moment de sa momification, son torse avait été rempli de nombreux produits désinfectants : les embaumeurs avaient utilisé un fin "hachis" de feuille de* Nicotiana L., *trouvé contre les parois internes du thorax, à côté de dépôts de nicotine, certainement contemporains de la momification, mais qui posent problème, car ce végétal était encore inconnu en Égypte, semble-t-il.* »

Sa lecture achevée, Philippe Lucas secoua la tête l'air navré :

— Et moi qui croyais que vous étiez guérie...

Elle éluda le commentaire.

— Savez-vous qui m'a mis sur la piste ?

Il fit non de la tête.

— Votre ami, Hassan El Asmar, que vous considérez – et je vous approuve – comme étant le plus grand spécialiste de l'époque amarnienne. Celui-là même qui m'a remis cette correspondance envers laquelle vous avez si peu de considération.

— Et vous l'avez dérangé pour ces...

Il lui restitua les feuillets tout en poursuivant :

— Inepties ? Croire que les Égyptiens ont pu voyager jusqu'en Amérique est aussi absurde que de croire à l'existence de petits hommes verts. Allons, soyez raisonnable. Personne ne peut accorder foi à une théorie aussi dépourvue de sens.

— C'est aussi ce que l'on disait à propos des Vikings, non ? Or plus personne – à part vous peut-être – ne remet en cause aujourd'hui que le Vinland, le « pays du vin » atteint par les Vikings aux alentours de l'an mille, fut l'Amérique du Nord. Cette théorie est non seulement avérée par les traditionnelles sagas islandaises, mais elle est aussi corroborée par les découvertes archéologiques. On a mis au jour de nombreux artefacts vikings éparpillés sur toutes les îles de l'extrême Arctique, et les vestiges d'un établissement à Terre-Neuve prouvent que les Vikings ont bien débarqué en Amérique du Nord cinq cents ans avant Colomb.

— Ce qui ne prouve absolument pas que des Égyptiens ont pu accomplir ce périple deux mille ans plus tôt et sur des rafiots de joncs ! C'est impensable !

— Pourtant, dans les années 1970, l'ethnologue Thor Heyerdahl a démontré que c'était réalisable. Parti sur une embarcation en jonc qu'il avait baptisée *Ra*, il quitta Safi, au Maroc, pour traverser l'Atlantique et attester ainsi que les navires en papyrus des anciens Égyptiens auraient été tout à fait capables de traverser l'océan. Pour lui, il ne faisait pas de doute que l'Égypte avait apporté sa contribution aux civilisations des Indiens d'Amérique centrale.

— Ce que vous oubliez de mentionner, c'est qu'au bout de cinq mille kilomètres le *Ra* commença à se disloquer, et il fallut abandonner.

— Pour recommencer un an plus tard ! Et, cette fois, l'entreprise fut un succès total. Après deux mois en mer et un parcours de plus de six mille kilomètres, Thor atteignit la Barbade, démontrant ainsi qu'à l'époque préhistorique des bateaux à l'instar du *Ra* avaient pu traverser l'Atlantique en utilisant le courant des Canaries.

Lucas se prit la tête entre les mains en soupirant :

— Puis-je vous demander une faveur, Judith, une seule ?

Elle acquiesça.

— Retournez dans votre chambre et laissez-moi me rendormir. Vos histoires m'ont vidé... Nous reprendrons demain, d'accord ?

Anoukis à Keper

... Mais, étant donné l'état de la dépouille du pharaon, on ne se limita pas à bourrer le corps évidé avec de la gomme de cèdre, de la myrrhe, des feuilles de tabac et de la cannelle. On y ajouta des herbes, des boulettes de résine, et même des rouleaux d'étoffe. Ce n'est qu'ensuite que le corps fut recousu et plongé dans le bain de natron.

De bien tristes semaines s'écoulèrent. Après les soixante-dix jours rituels d'embaumement, on récupéra la dépouille du roi défunt de la salle des embaumeurs, et on plaça le cercueil noyé de fleurs sur la barque royale. Les larmes et les lamentations de Tiyi couvraient les prières des prêtres, tandis que ceux-ci, vêtus comme à l'accoutumée de leur peau de léopard, se livraient, impassibles, à leurs fumigations autour du cercueil. D'autres bateaux avançaient dans le sillage de l'embarcation royale. Il y avait là les proches, les amis, et les domestiques, les bras chargés d'offrandes. Tous les hommes, y compris moi-même qui déteste cela, avaient laissé pousser leur barbe en signe de deuil. Lorsque nous parvînmes sur l'autre rive, on déposa le sarcophage sur le traîneau apprêté pour l'occasion, et des bœufs attelés s'ébranlèrent dans un nuage de sable qui s'éleva jusqu'au ciel, emportant avec lui les plaintes rituelles des pleureuses louées le visage barbouillé de limon, la robe déchirée, et qui, dans leur désespoir, s'efforçaient de mimer les déesses Isis et Nephthys se lamentant sur la dépouille d'Osiris. Devant la porte du tombeau, on procéda à l'*oupra,* la cérémonie de l'ouverture de la bouche – qui vise à restituer au défunt l'usage de la bouche et des yeux, à travers lesquels se manifeste la vie – et à celle du bris des vases rouges. Un prêtre enveloppé dans un nuage d'encens clama : « Pour toi, Osiris, l'encens qui est venu d'Horus, la myrrhe qui est venue de Rê, le natron qui est venu de Nekhbet[38] ! » Avant que le corps ne soit définitivement emmuré, le prêtre représentant Horus touche le visage du mort avec une herminette d'une part, et avec un ciseau d'autre part. Ainsi, une fois ressuscité, le défunt aura la faculté de voir et de manger. Puis on installa le sarcophage dans la tombe royale, et le tout s'acheva avec le banquet funéraire.

J'ose espérer que, pour moi aussi, lorsque sonnera l'heure fatidique de mon départ pour le Bel Occident – ce qui ne saurait tarder –, le prêtre funéraire ne manquera pas d'accomplir ces gestes essentiels. Te souviens-tu des strophes que récitait ce vieux fou d'Amenrès après ses soûleries ? Il clamait :

« La mort est aujourd'hui devant moi
Comme lorsqu'un malade est guéri,
Comme de sortir après la maladie.
La mort est aujourd'hui devant moi
Comme le parfum de la myrrhe,
Comme d'être assis sous la voile un jour de brise.
La mort est aujourd'hui devant moi
Comme le parfum des fleurs de lotus,

Comme d'être assis à boire sur la rive.
La mort est aujourd'hui devant moi
Comme un chemin pendant la pluie,
Comme le retour chez lui d'un homme sur un
[bateau de guerre.
La mort est aujourd'hui devant moi
Comme lorsqu'un homme désire revoir sa
[maison,
Après avoir vécu beaucoup d'années en
[captivité[39]. »

Plus je vieillis, plus ces strophes cognent aux portes de ma mémoire. Mais trêve de verbiage.

C'est donc après la mort de son père qu'Akhenaton accéda au pouvoir. Il adopta aussitôt le nom de trône de Néferkheperourê Ouânrê, qui signifie littéralement : « Les Métamorphoses de Rê sont parfaites, l'Unique de Rê ». La cérémonie se déroula non dans le temple de Karnak, comme on aurait pu s'y attendre, mais à Hermonthis, la capitale du nome thébain, l'Héliopolis du Sud. Cela se passa le deuxième jour du premier mois de la saison *peret*. Il n'avait pas quinze ans et n'avait point encore pris femme. Il était urgent de lui en trouver une.

Une femme de sang royal ! suggérèrent les conseillers. Tiyi avait aussitôt balayé l'idée d'un revers dédaigneux de la main. Elle, la Grande Épouse royale, était-elle de sang royal ?

On chercha. D'où viendrait-elle ?

Un an passa. Puis deux. Au milieu de la troisième année, la cour posa son regard sur la fille d'un haut personnage, Ay, qui s'appelait Néfertiti. Ay occupait les fonctions de porte-étendard et de scribe du roi. Quelques années auparavant, il avait épousé une femme originaire d'Akhmim, une dénommée Nebet. L'union fut de courte durée : Nebet mourut peu de temps après avoir donné naissance à une petite fille. J'imagine qu'au moment où les yeux de Nebet se fermaient grande devait être sa désespérance. Ah ! si seulement elle avait pu pressentir le prodigieux destin que le dieu unique avait conçu pour son nouveau-né ! Ce nouveau-né – tu l'as compris – portait le nom de Néfertiti. D'emblée, je m'empresse de te dire que le nom de Néfertiti – « La Belle est venue » – ne signifie en rien qu'elle était issue d'un autre pays. Bien des parents ont appelé et appellent encore leur fille de noms comparables. J'ai moi-même connu une Néfertouati, dont la signification est « La Belle est unique ». Il existe aussi des Néferteni, « La Belle est pour moi », et la fille de mon frère, Akht, porte le nom d'Aneski, « Elle m'appartient ». Tu vois bien qu'il n'y a rien là de bien original à surnommer une enfant « La Belle est venue ».

Je ne sais pas où Nebet fut enterrée ; je sais seulement qu'Ay ne garda pas le deuil plus de quelques mois. Il se remaria avec une autre femme du nom de Ti qui devint ainsi la belle-mère et la nourrice de la future reine. Un an plus tard, Ti accoucha à son tour d'une fille, qu'elle nomma Moutnedjemet, « La déesse Mout est la douce », qui est actuellement l'épouse de Horemheb le scélérat.

Dame Ti était une femme hors du commun. Pour s'en convaincre, il n'est qu'à se remémorer les titres dont le pharaon l'avait dotée : « Préférée du Dieu bon, Nourrice de la Grande Épouse royale Néfertiti, Nourrice de la déesse, Ornement du roi ». Sache aussi que la fonction de nourrice d'un membre de la famille royale était l'une des plus importantes et des plus influentes qu'une roturière pût obtenir. L'honneur d'une telle charge ne pouvait que rejaillir sur son époux et sur son propre nourrisson.

Avant d'aller plus loin, j'aimerais te parler d'Ay, le père de Néfertiti. Nombre de choses furent dites à son propos. On s'est beaucoup étonné de son omniprésence à la cour, qu'entre toutes les filles du Double Pays ce fût sa fille, Néfertiti, qui fût élue pour être l'épouse d'Akhenaton. En vérité, Ay n'était pas le premier venu. Il appartenait à la famille des parents de Youya et Touyou, respectivement père et mère de la reine Tiyi. À l'instar de Youya, Ay était maître de la charrerie. Les deux hommes se désignaient comme « celui en qui a confiance le dieu parfait (le roi) dans la terre entière », comme « premier parmi les compagnons du roi » et comme « favori du dieu parfait ». Ces titres étaient certes honorifiques, mais ils soulignaient aussi le lien familial qui existait entre les deux hommes. D'ailleurs, ils se ressemblaient beaucoup : même nez aquilin, mêmes lèvres épaisses et même forme de mâchoire. Une ressemblance d'autant plus frappante que ce genre de physionomie ne se rencontre pas souvent dans notre pays. Et si certains pouvaient douter qu'Ay fût véritablement le père de Néfertiti, le surnom dont il avait été affublé suffit à écarter tout scepticisme. Très vite, on l'appela le « divin père », désignation qu'il incorpora dans son nom lorsque, plus tard, il monta sur le trône laissé vacant par Toutankhamon. De surcroît, sa seule fonction de prêtre n'aurait pas justifié ce surnom, d'autant qu'il était le seul dans notre entourage à le porter. Non, il était bien le beau-père d'Akhenaton et le « divin père » de Néfertiti.

Au moment de son mariage, Néfertiti n'était alors qu'une enfant, tout comme son époux d'ailleurs. Deux enfants, deux âmes qui n'ont pas eu le temps de vivre leur jeunesse. Mais n'est-ce pas le propre des princes et des princesses ?

Comment te décrire celle qui fut élue pour devenir la Grande Épouse royale ? Dire qu'elle était belle ? Non. Elle était sublime. Dire qu'elle possédait un admirable sourire ? Ce n'était point un sourire mais un enchantement. Dans ses yeux brûlaient tous les feux de l'empire. Par contre, elle n'était pas grande de taille ; en tout cas bien plus petite que son époux. Comme la grande majorité d'entre nous, elle pratiquait l'épilation totale et se rasait la tête, qu'elle avait coutume de recouvrir – manie qui m'a toujours étonné – d'une perruque nubienne. Cette perruque rappelait la forme d'un bonnet, composé de plusieurs épaisseurs de boucles, coupées de manière que la nuque restât exposée, tandis que deux pans latéraux descendaient à hauteur des clavicules. J'avoue n'avoir jamais bien saisi comment l'idée de se coiffer ainsi était née dans l'esprit de la reine...

Ce n'était pas tant la beauté de Néfertiti que son charme qui la rendait unique. Quand son regard plongeait dans le vôtre, une onde voluptueuse vous parcourait le corps. Quand elle parlait, sa voix dégageait une grande sensualité. Quand elle se mouvait, nue sous sa tunique de lin transparent, elle entraînait l'azur dans son sillage. J'ose cet aveu : je fus troublé par cette femme. Il m'est arrivé maintes fois de la voir traverser mes songes. Heureusement, Ankheri, mon épouse, ne l'a jamais su.

Keper à Anoukis

Ah ! mon vieil ami ! Je perçois d'ici les frémissements de ton cœur. Amoureux transi ? Je te vois mal dans ce rôle, à moins que le trouble que tu me décris ne fût d'ordre bassement charnel. Il est vrai que « La Belle est venue » possédait un corps non dépourvu d'attraits, une chute de reins digne d'une Nubienne et des hanches qu'on eût voulu emprisonner longtemps. J'ai pu à plusieurs reprises contempler ses seins, le galbe alangui de ses cuisses, la courbe de ses fesses, rendant chaque fois grâce aux dieux pour la permissivité de nos vêtements. Il me souvient tout particulièrement d'un soir, sur la terrasse du palais, à Akhetaton. Les torches jetaient une lumière diffuse. La lune était pleine. Néfertiti portait une chemise sans plis, si collée au corps qu'on avait l'impression que le tissu faisait un avec la peau, de ces chemises qui partent du dessous des seins et descendent jusqu'aux chevilles, soutenues par de minces bretelles qui se croisent à hauteur des aréoles. Quelle vision ! Ô mon frère ! Quel astre sans pareil, auprès de qui l'éclat des étoiles parut si fade, si froid aussi. Même Sirius en souffrait. Hélas, les splendeurs de Néfertiti ne durèrent que le temps d'un souffle. Très vite, « La Belle est venue » s'étiola. Quoi de plus naturel lorsque l'on a donné naissance à six enfants ? Souviens-toi. À vingt-cinq ans à peine, sa silhouette avait pris la forme d'une poire, ses cuisses s'étaient épaissies, et son ventre était devenu bien flasque. C'en était fini des visions enchanteresses. À cette époque, si j'avais eu le choix entre la reine et ma servante, Merit, c'est la seconde que j'eusse choisie.

Cela étant, cette femme avait du caractère et une sacrée personnalité. À quinze ans déjà, elle savait ce qu'elle désirait et ce qu'elle n'eût jamais accepté. Autant de qualités innées à l'état brut qui, entre les mains de Tiyi, prirent un véritable essor. Car, tu le sais, dès l'instant où Néfertiti fut introduite dans la famille, la reine mère s'efforça de faire son éducation. Tu sais aussi de quel bois était faite la Grande Épouse royale. Elle n'ignorait rien des faiblesses de son fils comme elle pressentait les menaces qui pesaient sur le Double Pays. Nos frontières étaient sûres ; mais pour combien de temps encore ? Tout à sa passion pour la chasse et pour les grands travaux, Amenhotep s'était désintéressé du monde et le monde commençait à prendre certaines libertés. Tout le temps de son règne, les yeux du souverain étaient restés fixés sur la vallée du Nil au point d'en oublier qu'il existait des terres au-delà de l'horizon. Et pourtant... Il ne se passait pas un jour sans que les Hittites[40], toujours aussi voraces, ne cherchent à s'étendre au détriment des vassaux de l'Égypte. Ils menaçaient tous les jours un peu plus les possessions mitanniennes en Syrie. Et en Syrie, la région de l'Amourou, fermement décidée à réclamer son indépendance, s'était rangée sous la bannière d'Abdiachirta, le prince cananéen. Certes, le roi du Mitanni, Touchratta, menacé au premier chef, avait tenté de secouer la torpeur du pharaon en l'amenant à intervenir. Le résultat ne fut guère probant. Et, lorsque l'on sait qu'Abdiachirta était un de nos vassaux, on prend toute la mesure du laxisme qui avait gagné les plus hautes instances de l'État. Pourtant, ce n'est un secret pour personne, tandis que la santé d'Amenhotep se détériorait, c'était Tiyi qui gouvernait, jouant le triple rôle de pharaon, de père et de mère. Mais la tâche était trop rude, et le pouvoir d'une reine a ses limites. Nul doute qu'elle fît part à sa belle-fille de ses appréhensions et lui communiquât ses craintes. Akhenaton paraissait si doux, si absent, si fragile, si loin des réalités du trône... Où puiserait-il l'énergie nécessaire pour gouverner un empire et imposer sa loi ? C'est pourquoi Néfertiti se devait d'être forte pour deux. Prendre exemple sur Tiyi : être avant de paraître. La conséquence de cet endoctrinement ne t'a pas échappé : sans même qu'il s'en rendît compte, Akhenaton passa d'une mère à l'autre, situation qui, à mon avis, n'était pas pour lui déplaire. Sa fragilité s'est nourrie de la force de Néfertiti. La jeune fille qu'elle fut à son mariage ne tarda pas à devenir femme. La femme devint mère, et la mère se mua en forteresse. Le jeune souverain a pu ainsi laisser libre cours à son imagination, concevoir ses rêves les plus fous, défier le clergé d'Amon et s'arrimer aux étoiles.

Dans un ordre d'idée tout à fait différent... Je viens de recevoir un recueil de préceptes composé par ce vieux sage de Neferi. Il fut médecin à la cour de notre pharaon défunt. Il t'avait soigné pour tes ballonnements. Tu te souviens encore de lui ?

Je te confie quelques lignes de son recueil.

« Le corps de l'homme est plus vaste qu'un grenier à blé et il est rempli de toutes sortes de

réponses. Choisis la bonne et dis-la, pendant que la mauvaise reste enfermée dans ton corps. »

À bientôt, ami. Que la nuit soit propice à tes rêves. Car tu rêves encore, n'est-ce pas ?

J'oubliais ! Tu as évoqué ta mort prochaine, et j'ai senti frémir en toi quelques regrets. Il ne faut pas. Je t'accompagnerai. C'est notre lot à tous. Souviens-toi des propos d'Ani, le sage. Il disait : « La mort arrive pour réclamer l'enfant lové dans les bras de sa mère aussi bien que l'homme courbé par les ans. » C'est la seule justice en cette basse terre. Et puis... qu'espères-tu encore de cette vie ? Plus de vieillesse ? Plus de débilité physique ? Serais-tu comme la majorité des hommes à rêver d'atteindre un âge de plus en plus déplorable ? Bien sûr, j'en connais qui y sont parvenus, maîtres de toutes leurs facultés, et qui, à force de soins, présentent une apparence acceptable. Ils sont rares néanmoins. Et je les soupçonne de feindre. On m'a parlé il n'y a pas longtemps d'un bonhomme de cent dix ans, qui mangeait gaillardement cinq cents pains, une épaule de bœuf et buvait cent jarres de bière. Ce que l'on n'a pas su me préciser, c'est s'il ingurgitait tout cela en un jour, un mois, une saison ou une année...

Le Caire

Lucas haussa les épaules.
— Plus je lis, moins j'y crois.
— Qu'est-ce qui vous choque cette fois ?
— Deux points essentiels. *Primo* : ni l'un ni l'autre de nos lascars n'évoquent la corégence. Pour eux, Amenhotep est mort, et son fils lui a succédé, c'est tout. *Secundo* : de quel chapeau de magicien sort cette Nebet qui eût été la mère de Néfertiti ? Nous ne possédons aucune trace de l'existence de ce personnage. Pas la moindre inscription...
— Quelle importance ? Je vous l'ai déjà fait remarquer : nous ne possédons rien non plus de précis sur l'origine du « divin père » Ay, sur l'ascendance de Tiyi, sur la dame Ti, sinon qu'elle est mentionnée en tant que « Nourrice de la Grande Épouse royale ». Et sur Néfertiti elle-même, nous en sommes réduits à de simples suppositions. Pour certains, elle serait une étrangère « venue », comme son nom l'indique, à la cour d'Égypte pour y épouser Akhenaton. C'est ainsi que s'expliquerait la nouvelle politique religieuse du nouveau pharaon. Ce serait Néfertiti, imprégnée d'une éducation proche-orientale, voire asiatique, qui lui aurait soufflé l'idée monothéiste.

Seulement voilà, il n'existe aucune trace de la venue d'une princesse orientale en Égypte au début du règne d'Akhenaton.

— Détrompez-vous. Il en existe une.

La jeune femme hocha la tête avec un demi-sourire.

— Je vous écoute. Mais je crois savoir.

— Vous vous souvenez que le père d'Akhenaton épousa en secondes noces, et pour des raisons diplomatiques, Giloukhipa, la fille de Chouttarna II, le roi du Mitanni.

— Bien sûr. C'est elle dont Keper nous dit qu'elle arriva accompagnée de « pas moins de trois cents dames d'honneur », provoquant la « rage » de Tiyi.

— Or, quelques années plus tard, Chouttarna décéda dans des circonstances douteuses et fut remplacé par son frère Touchratta. Il fut donc impératif d'instaurer une nouvelle alliance. Des négociations furent entreprises afin que la fille de Touchratta rejoigne Giloukhipa dans le harem du pharaon. Cette fille s'appelait Tadoukhipa. Vous me suivez ?

Judith acquiesça sans faire de commentaires.

— Lorsque Tadoukhipa débarqua en Égypte, Amenhotep III était dans un état de délabrement physique avancé. Il serait décédé dans les jours qui suivirent, et le mariage n'eût jamais été consommé. Par la suite, on n'entendit plus parler de la princesse. C'est comme si elle n'était jamais apparue.

— Et vous en concluez ?

— Que rien n'interdit de penser qu'au lieu d'épouser le père Tadoukhipa épousa le fils. Akhenaton.

— Vous plaisantez ?

— Pas le moins du monde. Nous savons d'après certaines lettres retrouvées que Touchratta espérait fortement que sa fille deviendrait reine d'Égypte. Lors des négociations prénuptiales, il avait exigé d'Amenhotep III qu'il accorde le titre de « maîtresse d'Égypte » à Tadoukhipa. Le...

Judith le coupa à nouveau.

— Une condition qui n'aurait jamais pu être satisfaite lorsque l'on sait le rôle dominant et la personnalité incontournable de la reine Tiyi. Jamais elle n'aurait laissé faire.

— J'en conviens. Néanmoins, Amenhotep décédé, la donne n'était plus la même. Akhenaton accédait au trône, et il était urgent qu'il prît femme. Tadoukhipa était sur place, princesse de surcroît et porteuse d'alliance avec le nouveau roi du Mitanni. Rien n'eût été plus facile que de lui attribuer un nom tout à la fois égyptien et symbolique : Néfertiti ou « La Belle est venue ». De cette façon pourrait s'expliquer la mystérieuse disparition de la princesse mitannienne au moment précis où Néfertiti apparaissait sur le devant de la scène.

— Mais nous savons parfaitement qu'à aucun moment dans l'histoire de l'Égypte une princesse étrangère n'a accédé au titre de reine !

— Jusqu'à l'arrivée de Tadoukhipa. Plus tard, au cours de la XIXe dynastie, une princesse hittite, offerte par son père à Ramsès II, fut renommée Maâthornéferourê, puis élevée au rang de « Grande Épouse royale ».

Lucas conclut en écartant légèrement les mains :

— Vous voyez donc que ce qui fut possible dans l'avenir a pu l'être dans le passé.

Judith murmura :

— Flinders Petrie.

— Pardon ?

Elle adopta volontairement une voix d'élève qui récite :

— Sir William Matthew Flinders Petrie, archéologue anglais et professeur d'égyptologie. Il préconisa de nouvelles techniques de fouilles et mit au point un système de datation cohérent, qui lui permit de reconstituer l'histoire de la civilisation égyptienne. À partir de 1883, il étudia les pyramides de Gizeh, fouilla dans le Delta, au Fayoum, à Tell el-Amarna et à Memphis. Mais ses travaux les plus importants restent les fouilles de Nagada, qui révélèrent la préhistoire égyptienne.

Elle ajouta :

— Il est le premier ou en tout cas l'un des premiers grands défenseurs de la théorie selon laquelle Néfertiti et Tadoukhipa ne seraient qu'une seule et même personne. Selon lui, puisque les deux premières filles de Néfertiti n'apparaissent pas sur les monuments avant l'an VI du règne d'Akhenaton, on peut en déduire que la première d'entre elles fut conçue peu après le mariage. Par conséquent – toujours selon Petrie –, les noces devaient dater de l'an IV. Il se trompe. Pour que la théorie soit juste, il aurait fallu qu'Amenhotep III fût vivant en l'an IV du règne de son fils, ce qui impliquerait l'existence d'une corégence.

— C'est précisément le second point de divergence que je citais tout à l'heure. Ni Keper ni Anoukis ne font allusion à une corégence.

— Pour quelle raison auraient-ils mentionné un fait qui n'a jamais eu lieu ? Amenhotep III est mort. Son fils lui a succédé, c'est tout. Je vous ferai remarquer au passage que de nombreux égyptologues partagent cet avis.

— Je ne fais pas partie de ceux-là.

Judith afficha un sourire amusé.

— Donc, si je comprends bien, il aurait suffi que l'un de nos deux personnages défende la thèse de la corégence pour qu'aussitôt vous accordiez foi à ces lettres ?

L'égyptologue haussa les épaules.

— Disons que j'aurais posé sur elles un regard plus bienveillant.

— Pourquoi diable tenez-vous tant à ce qu'Akhenaton ait régné en même temps que son père ?

— Nombre d'indices le prouvent.

— J'en connais qui prouvent aussi le contraire. Voilà un certain temps déjà que l'hypothèse de Petrie a été écartée. Il...

— Elle a été écartée, mais, depuis, d'autres découvertes sont venues conforter la thèse d'une corégence. Ce qui reste à déterminer, c'est sa durée. Trois ans ? Douze ans ?

Judith leva les yeux au ciel, puis d'un geste sec alluma l'ordinateur.

— Que faites-vous ? ironisa l'égyptologue. Vous envoyez un mail à Amenhotep père ?

La jeune femme ne répondit pas tout de suite. Elle patienta quelques secondes, le temps que le logiciel s'installe, puis elle pianota sur le clavier. Un texte apparut à l'écran.

— Vous voudrez bien jeter un coup d'œil à ceci, suggéra-t-elle d'une voix tranquille.

Lucas ajusta ses lunettes, se pencha en avant et lut :

> *« Dis à Tiyi, la maîtresse de l'Égypte, de la part de Touchratta, roi du Mitanni : Pour moi tout va bien. Pour toi, que tout aille bien. Pour ta maisonnée et ton fils, que tout aille bien. [...] Tu es celle qui sait que j'ai toujours manifesté*

de l'amour à Nimmouaria, ton mari, et que Nimmouaria, ton mari, m'a toujours manifesté de l'amour [...]. Tu es celle qui sait, bien mieux que tous les autres, ce que nous nous sommes dit. Personne ne le sait aussi bien que toi [...]. Je n'oublierai pas mon amour pour Nimmouaria, ton mari.

« Plus que jamais, je manifeste cet amour décuplé à ton fils, Napkhourouriya [...]. J'avais demandé à ton mari des statues d'or massif [...]. Mais voilà que Napkhourouriya, ton fils, a envoyé des statues de bois plaqué. Avec de l'or comme de la poussière sur la terre de ton fils, pourquoi ton fils n'a-t-il pas donné ce que j'ai demandé[41] *? »*

Il releva la tête.

— Je connaissais l'existence de cette lettre signée Touchratta. Que prouve-t-elle ?

— Elle réduit à néant toute éventualité de corégence. Comme nous pouvons le noter, elle est adressée à Tiyi. À en juger par les propos que tient le roi du Mitanni, il semblerait qu'Amenhotep III, surnommé – allez savoir pourquoi – Nimmouaria, lui avait promis des statues d'or massif. Et, manifestement, Akhenaton, surnommé – là aussi, bizarrement – Napkhourouriya, ne lui aurait envoyé que des statues de bois plaqué d'or. Cette lettre indique clairement que la reine Tiyi est désormais la reine mère, qu'elle occupe une place dominante et qu'elle semble exercer sur son fils autant de pouvoir que celui qu'elle exerçait sur le père. Situation qui est démontrée clairement puisque, ayant besoin d'un soutien dans cette affaire de statues, Touchratta s'adresse directement à Tiyi plutôt qu'à Akhenaton. Par ailleurs, cette phrase rédigée au passé : « *Je n'oublierai pas mon amour pour Nimmouaria, ton mari* » prouve bien qu'Amenhotep était décédé avant l'avènement de son fils.

— Désolé. Cette lettre, si elle s'adresse effectivement à Tiyi, ne prouve en rien qu'Amenhotep était mort. Qu'il fût malade est fort probable. Au point de déléguer certains pouvoirs à la reine, voilà qui l'est tout autant. Mais pas mort. Réfléchissez un instant : Amenhotep III ne célébra pas moins de trois jubilés en sept ans. Quand on sait que ce genre de manifestation a pour but essentiel de régénérer l'énergie du pharaon, je vous laisse imaginer dans quel état de santé se trouvait le souverain. Trois jubilés ! Quoi de plus logique dans ces conditions que de nommer à ses côtés un collaborateur plus jeune : son fils, en l'occurrence. J'en veux pour preuve que des archéologues anglais, en particulier John Pendlebury et son épigraphiste Herbert Fairman, acquirent l'impression, en fouillant le lieu où Akhenaton avait érigé sa cité solaire, qu'Amenhotep III avait également vécu sur ce site, et pendant un laps de temps relativement important.

— Ce n'est pas à un scientifique de votre trempe que je ferai observer qu'impression n'est pas certitude, d'autant que j'ai lu le compte rendu et les conclusions de Pendlebury. Il fondait son « impression » sur la découverte d'inscriptions – appelons cela des étiquettes – apposées sur des jarres qui avaient contenu du vin [42]. Le rapport a été rendu caduc à la suite d'une enquête aussi minutieuse qu'approfondie, menée par une sommité en la matière : le professeur Donald Redford.

— Figurez-vous que ce détail ne m'a pas échappé, mais je ne me lancerai pas ici dans un débat stérile. Dites-vous seulement que je rejoins les thèses d'une autre sommité, Cyril Aldred, qui, lui, est acquis à l'hypothèse de la corégence. Comme il l'a écrit au terme de ses longues recherches : « *Selon notre manière de considérer les témoignages, la corégence d'Amenhotep III avec son fils avait donc duré plus de douze ans lorsque Akhenaton fut reconnu par les rois et les vassaux asiatiques comme leur nouveau correspondant sur le trône d'Égypte ; aussi dérangeante que soit cette conclusion, nous n'avons pas d'autre choix que de l'accepter*[43]. » Mais il n'y a pas qu'Aldred qui défende la thèse de la corégence. Plusieurs égyptologues et non des moindres partagent son avis.

Il énuméra :

— Johnson, Vandersleyen, Bell, Allen, Valentin...

Judith enchaîna :

— Et autant d'autres qui y sont opposés : Helck, Hornung, Gabolde, Campbell, Redford, Harris, Murnane, Von Beckerath...

— Un instant... Soyez raisonnable ! Puisque manifestement vous semblez bien informée, vous devez vous souvenir qu'en l'an XII du règne d'Akhenaton se tint dans la cité solaire un grand rassemblement au cours duquel les vassaux des grandes puissances d'Asie, d'Afrique et de l'Égée vinrent apporter des présents destinés au pharaon et demander sa bénédiction.

— Bien sûr. J'ai lu les textes. J'ignore quel égyptologue contemporain a baptisé cette réunion *durbar*, terme qui rappelle les anciennes cérémonies officielles qui se déroulaient en Inde.

— *Durbar*, en effet. L'événement est confirmé par une étiquette en hiératique écrite sur une lettre d'Amarna – la lettre n° 27 – que l'employé de bureau égyptien chargé du dossier a écrite en annotant ces mots sur le coin de la tablette :

> *« L'an XII [?], le cinquième mois, le quatrième [?] jour, quand On [c'est-à-dire le roi] se trouvait dans la ville du Sud, dans le palais [appelé] "celui qui se réjouit à l'horizon".*
>
> *« Copie de la lettre provenant du Naharina délivrée par les messagers Pirizzi et Poupri*[44]*.* »

— Eh bien ? Vous ne pouvez ignorer que la date inscrite sur l'originale est endommagée. Elle a été reconstituée par l'employé ! Erreur grossière !

— Oui. Mais pas le chiffre 2. De celui-là nous sommes sûrs. La question est de savoir si un 1 se trouvait devant ce 2. Pour ma part, je penche en faveur de la date la plus avancée. Or que nous révèle ce texte ? Tout d'abord qu'environ un mois avant sa participation au *durbar* d'Amarna Akhenaton résidait encore à Thèbes...

Lucas s'arrêta pour poser son index sur l'expression la « ville du Sud » et poursuivit :

— Pourquoi Akhenaton visitait-il Thèbes à ce moment-là ?

— Nous n'en savons rien.

— Si. Il était en train de participer aux funérailles de son père dans la branche occidentale de la vallée des Rois après les soixante-dix jours rituels d'embaumement.

Judith bondit presque de son siège.

— Mais d'où sortez-vous pareille idée ?

— Parce que le reste de la lettre y fait allusion. Parce qu'il existe de très nombreux arguments qui plaident en faveur de la corégence. Vous les connaissez sans doute, aussi me contenterai-je de n'en citer que quatre.

Il récupéra la feuille et inscrivit :

« 1 – La stèle de Panhesy[45].

« Dans la maison d'un nommé Panhesy, à Akhetaton fut retrouvée une stèle où l'on voit Amenhotep III accompagné de la reine Tiyi. Cette représentation a été gravée sous le règne d'Akhenaton.

« 2 – Le bas-relief de Men et Bek.

« Le sculpteur en chef Men a servi Amenhotep III. Son fils, Bek, a servi Akhenaton. Or, tous les deux sont figurés sur un rocher d'Assouan en train de rendre hommage à des effigies de leurs souverains respectifs. Cette image date de l'an VIII du règne d'Akhenaton.

« 3 – La tombe du vizir.

« Dans la tombe du vizir Aper-El, à Saqqara, la documentation entremêle si fortement les témoignages du règne d'Amenhotep et ceux du règne d'Akhenaton que seule l'hypothèse de la corégence permettrait d'y voir clair. Précisons que cette tombe fut découverte il y a une dizaine d'années par la mission archéologique française du Bubasteion, fondée et dirigée par Alain Zivie[46].

« 4 – Le papyrus de Kahoun[47].

« Il s'agit d'un lot de quatre papyrus qui constituent des pièces et des procès-verbaux d'un jugement concernant un bouvier. L'homme est lié à plusieurs affaires qui datent de l'an XXVII d'Amenhotep III pour l'une, et des années II et III d'Akhenaton pour l'autre. Si nous éliminons l'hypothèse de la corégence, nous obtenons treize années d'écart. Comment imaginer que dans un intervalle aussi long on ait utilisé le même papyrus pour consigner des sujets différents, mais qui concernent les mêmes personnes ? Comment imaginer la présence des mêmes plaignants, des mêmes témoins treize ans plus tard ? En revanche, s'il y a eu corégence, un ou deux ans les auraient séparés ; ce qui serait plus logique. »

L'égyptologue plaqua son crayon et conclut :

— Il y a bien eu corégence !

En guise de réponse, la jeune femme s'empara à son tour de la feuille et se mit à écrire :

« 1 – La stèle de Panhesy.

« Il a été prouvé que des représentations d'Amenhotep III découvertes dans la tombe de Youya étaient posthumes. Rien ne s'oppose à ce qu'il n'en soit pas de même pour cette stèle retrouvée dans la maison de Panhesy. En vérité, cette stèle n'est rien d'autre qu'une stèle d'autel domestique dévolue au culte des parents *défunts* du roi régnant.

« 2 – Le bas-relief de Men et Bek.

« On y voit le sculpteur Men rendant hommage à une statue, un colosse d'Amenhotep III. À gauche, son fils Bek est en train d'honorer une représentation martelée d'Akhenaton. Non seulement ce dessin ne prouve pas la corégence, mais il est certain que, lorsque le rocher fut gravé, c'était déjà la mémoire d'Amenhotep III que l'on honorait. En effet, si le souverain avait été vivant à ce moment, on ne lui aurait certainement pas rendu hommage par l'*intermédiaire de sa statue*, mais on aurait plutôt gravé la figure du roi vivant, à l'instar de celle de son fils, qui lui fait face.

« 3 – La tombe du vizir.

« Cette tombe, découverte comme vous l'avez souligné par Alain Zivie, n'a pas encore livré tous ses secrets. Il est donc prématuré de tirer des conclusions définitives sur la présence de témoignages de l'époque d'Amenhotep III et de l'époque d'Akhenaton.

« 4 – Le papyrus de Kahoun.

« Ce papyrus – nous pouvons en débattre par le menu, si vous le souhaitez – n'est en fait qu'un *récapitulatif.* Il n'a donc pas de rapport avec la corégence éventuelle. »

Elle confia le feuillet à Lucas tout en déclarant :

— Je n'ai pas non plus l'intention d'aller plus loin. Cependant, je ne peux pas m'empêcher d'attirer votre attention sur un point.

Lucas conserva le silence.

— Les stèles, reprit Judith. Les stèles frontières d'Amarna... Ces balises érigées par Akhenaton pour délimiter sa future ville. Dans la première proclamation, le souverain fait état d'une dégradation de la situation sur une durée de quatre ans. Il déclare que *ce qu'il a entendu en l'an IV était pire qu'en l'an III, pire qu'en l'an II, pire qu'en l'an I*. Il poursuit en affirmant que cela était *pire que ce qu'avait entendu Amenhotep II, pire que ce qu'avait entendu Djehoutymes IV*, et ainsi de suite en remontant jusqu'au règne de Djehoutymes III. Pensez-vous sérieusement que, s'il partageait alors le pouvoir avec son père, Akhenaton se serait permis de parler du règne de celui-ci en ces termes ? La seule concession que je sois prête à faire dans cette histoire se résume en peu de mots : s'il y a eu corégence, elle ne peut en aucun cas avoir duré au-delà des cinq premières années antérieures à la rédaction de cette proclamation.

Anoukis à Keper

Des générations disparaissent et s'en vont, d'autres demeurent, et cela dure depuis le temps des Ancêtres, depuis le temps des dieux qui ont existé auparavant et reposent dans nos pyramides. Nobles et gens illustres sont enterrés dans leurs tombeaux. Ils ont bâti des maisons dont l'emplacement n'existe plus. Qu'est-il advenu d'eux ? J'ai entendu des sentences d'Imhouthes et de Hardedef, que l'on cite en proverbe et qui durent plus que tout. Où sont leurs maisons ? Leurs murs sont tombés, leurs places n'existent plus, comme si elles n'avaient jamais été. Personne ne vient de là-bas annoncer ce qu'il en est, annoncer ce dont nous avons besoin pour apaiser notre cœur, jusqu'à ce que nous abordions au lieu où ils s'en sont allés...

Il me souvient de tous ces êtres de qualité qui évoluaient à la cour et qui ne sont plus. Je songe à Panhesy, chef des granges d'Aton, chef des bœufs d'Aton. Si je ne me trompe pas, il occupait une riche propriété à proximité du grand temple. Je songe aussi à Parennefer, grand échanson de la cour et maître artisan du pays ; à Pentou, médecin personnel du roi ; à Doudou, l'intendant de la cour ; à Mahou, chef de la police du désert ; au général

Houy, fils du vizir Aper-El, qui ne livra aucune bataille ; à Nakht, qui assura la fonction de vizir et possédait ce titre plus pour la forme que pour le fond. S'il mérite d'être cité, c'est uniquement parce qu'il habitait la plus belle résidence privée d'Akhetaton.

Ce soir, ami Keper, j'ai le cœur lourd. De réécrire l'histoire éveille en moi un mal-être que je croyais chassé à tout jamais. Les rues sont désertes. Un chien aboie dans le lointain, et la flamme de ma lampe scintille comme une étoile fatiguée. En cette troisième année du règne d'Akhenaton, deux jeunes gens avaient commencé à régner sur le monde, puisque le monde, c'est l'Égypte. Deux enfants sous la tutelle d'une reine vieillissante. Seuls et trop entourés, seuls et cernés par les hyènes, seuls et confrontés à l'immensité. Ils vivaient à Thèbes dans la « Résidence de l'Exalté dans l'horizon ». La vie semblait couler, neutre, paisible, sans éclat. Rien de particulier – en apparence du moins – ne semblait modifier le rythme des jours, rien sinon deux naissances. Néfertiti accoucha de deux filles à un an d'intervalle. La première fut nommée Meritaton, « Aimée d'Aton », et la deuxième Maketaton, « Protégée d'Aton ». J'ignore si leur père espérait un mâle, en tout cas il ne laissa rien paraître de sa déception.

Oui, la vie semblait poursuivre son cours paisible, sous un ciel sans nuages. Seul un observateur aguerri aurait pu noter certains signes avant-coureurs de l'orage. Nous étions aveugles ! L'insertion du nom d'Aton dans celui des nouveau-nés aurait dû nous dessiller les yeux ! Que le pharaon ait choisi Hermonthis et non Karnak pour lieu de son couronnement, n'était-ce pas aussi un indice ? Nous aurions dû nous rendre compte que si le dieu de Thèbes n'était pas encore proscrit, on y faisait de moins en moins allusion dans les inscriptions officielles, notamment dans le nom du roi. Nous n'avons rien vu. Tout semblait à sa place lorsque soudain, dans les tout premiers mois de la saison *peret* de l'an IV, prenant tout le monde de court, le nouveau roi décréta l'organisation d'une fête-*Sed*. Tu te souviens, ami, de notre stupéfaction ? Une fête-*Sed* après tout juste quatre ans de règne ? Pourquoi ? Je me suis posé cent fois la question, sans trouver de réponse. Peut-être en as-tu une ?

La décision prise, l'Égypte fut en effervescence. Il fallait aménager un bâtiment destiné à accueillir la cérémonie. Des chantiers furent lancés, et on ouvrit une nouvelle carrière à Set Maât. Des temples solaires surgirent à Héliopolis, à Memphis et en Nubie ; tous étaient voués, d'une façon ou d'une autre, à l'adoration d'Aton. Mais c'est surtout vers Thèbes et vers Karnak en particulier que « Celui que j'aimais » porta son attention. Et le scandale commença à poindre. En plein cœur des sanctuaires consacrés à Amon, voilà que le nouveau pharaon ordonnait la construction d'un temple – le *Gempaaton*, « Aton est trouvé dans le domaine d'Aton » –, entièrement dédié à Aton ! Imagine quel émoi cette action déclencha parmi le clergé. Ce fut comme un tremblement de terre. Ce jeune présomptueux venait narguer les vieux prêtres sous leur fenêtre ! Ce temple nous laissa sans voix, non seulement parce qu'il était de toute beauté, parce que les architectes utilisèrent un mode de construction nouveau, mais parce que c'était la première fois de notre vieille histoire qu'un temple se dressait à ciel ouvert ! Jusqu'à cette heure, ces lieux sacrés n'étaient qu'une suite de cours fermées séparant des hypostyles que la nuit gagnait au fur et à mesure que l'on se rapprochait de la pièce où se dressait la statue du dieu. Alors que là ! Ouvert sur l'azur ! Ouvert aux regards ! Ouvert sur la liberté et surtout sur le soleil. Plus de pénombre, exilées les ténèbres, finies les allées et venues des officiants dans d'obscurs couloirs, chuchotant dans des alcôves énigmatiques. Un sanctuaire à ciel ouvert ! Je soupçonne qu'à sa vue les flots du Nil durent ralentir leur course le temps d'observer l'innovation...

Parallèlement, le pharaon fit ériger le *Hout-benben*, « La demeure de la pierre-*benben* ». Je te rappelle que le *benben* est une relique vénérée depuis des temps anciens. La première éminence qui forme le centre du grand temple solaire d'Héliopolis et qui figure le sperme pétrifié d'Atoum. La demeure se présentait comme un temple à colonnade, centré sur l'unique obélisque [48] érigé à Karnak par Amenhotep III. Un pas de plus vers le changement...

Sur trois des quatre piliers, on pouvait voir Néfertiti et la petite Meritaton, agitant leur sistre au-dessous du globe solaire. Sur le quatrième figuraient quatre scènes qui représentaient la Grande Épouse royale faisant une offrande à Aton. Sa tête était recouverte d'une longue perruque d'un bleu foncé, son corps enveloppé d'une robe plissée, transparente, ouverte sur la poitrine. Un uræus ornait le front de la souveraine. Derrière elle, il y avait Meritaton, « la fille du roi qu'il aime, née de la Grande Épouse royale qu'il aime, maîtresse des Deux Terres, Néfertiti qu'elle vive ». Les quatre sanctuaires avaient tous été bâtis à l'est de Karnak, là où le soleil se lève.

Je parle au passé, car ces constructions sont aujourd'hui la proie de la vindicte de ce chien de Horemheb. Des ouvriers les démontent pierre par pierre. Dans quelques semaines, il ne restera plus rien.

À ce sujet, j'aimerais te conter un événement dont je fus témoin, et qui est tout à fait extraordinaire. Quelques jours après avoir lancé ces travaux, Akhenaton fit convoquer le sculpteur Bek, fils de Men. Je n'oublierai jamais la scène. Elle s'est déroulée dans « la Grande Maison ».

Le roi était assis très droit, crâne rasé, la barbe postiche en pointe accrochée au menton. Sa tête n'était couverte ni de la couronne blanche ni de la rouge, mais d'un châle qui tombait sur sa nuque, jusqu'à ses épaules. Un diadème orné de l'uræus le maintenait fermement. Le serpent sacré qui le compose semblait dérouler ses anneaux sur le sommet du crâne, de telle façon qu'il donnait l'impression de se dresser, menaçant, sur son front. Curieusement, je n'ai pas vu que le pharaon tenait dans sa main le *khopesh*, le glaive en forme de faucille dont son père et les prédécesseurs de son père ne s'étaient jamais départis.

Bek, lui, se tenait courbé devant le trône. Il était habillé d'un très beau double pagne : celui du dessus, découpé dans une toile fine, blanche et transparente s'arrêtait au-dessus des chevilles ; le second, celui du dessous, descendait à mi-cuisses et était tissé dans le lin. Son thorax était enveloppé d'une chemise ample, la taille serrée par une ceinture. Jamais je ne l'avais vu aussi élégamment vêtu. Après les salutations d'usage, il y eut un temps de silence. Puis la voix du pharaon s'éleva dans la salle.

— Lève la tête et regarde-moi !

Bek obtempéra.

— Regarde-moi bien ! Observe mon corps. Détaille ma silhouette. Contemple-moi.

Bien qu'intimidé, l'œil de Bek scruta le pharaon.

— Tu vois mes hanches, tu vois mes cuisses, tu vois mes seins naissants. Tu vois mon allure femelle. Je suis imberbe. J'ai les lèvres trop épaisses et le visage trop émacié, le menton trop proéminent. Vois-tu tout cela ?

Et le sculpteur d'acquiescer dans un chuchotement.

— Eh bien, c'est ainsi que tu me représenteras désormais. Tel que Maât l'exige. Nulle complaisance. Que chaque coup de burin soit une louange à la vérité. Je suis l'œuvre de mon créateur.

Bek balbutia quelque chose que je ne compris pas. Une sorte de borborygme qui mourut au bord de ses lèvres.

— Ce n'est pas tout, ajouta « Celui que j'aimais ». Pour cette statue que je veux colossale, tu me feras nu, et je ne veux point de membre.

— Je vous demande pardon, ô mon roi... Point de membre ?

Je ne quittais pas le sculpteur des yeux. Je le vis chanceler. Il était, je pense, à deux doigts de défaillir.

Un rire cristallin fusa de la gorge d'Akhenaton.

— Allons ! Ressaisis-toi ! Tu n'as rien compris. Le passé des arts menteurs est révolu. Je n'ai pas honte de mon corps. Il est la fusion de mon père et de ma mère. Cette statue sera le symbole de l'émanation non sexuée du dieu Aton. Masculin et féminin. Père et mère de l'univers. Chaque aube me rapproche de lui. Bientôt, lui et moi ne ferons qu'un.

Alors le sculpteur osa murmurer :

— Si tu te hisses vers le dieu, alors qui comblera le vide que tu laisseras ici-bas ?

Et « Celui qui fut bénéfique à Aton » de répondre avec un sourire tranquille :

— La Grande Épouse royale.

Coïncidence ou non, dès le lendemain de cette discussion, un nouveau nom fut attribué à Néfertiti. Elle fut appelée : Nefer-Neferou-Aton. Qui veut dire « Belles sont les beautés d'Aton ». Bientôt – mais nous l'ignorions alors –, la notion d'Osiris, dieu des morts, allait disparaître, il n'y aurait plus qu'un être suprême : Aton, le globe source de vie, l'œil du soleil.

Pour répondre à ta question : oui, je me souviens très bien de Neferi, le médecin. Je ne savais pas qu'il était capable d'écrire de sages pensées. Un effet de l'âge, sans doute. Il m'avait, c'est vrai, guéri de mes ballonnements. Mais à quel prix ! Je l'entends encore comme si c'était hier m'ordonner : « Fais macérer durant la nuit de la farine sèche dans de la bière douce. Tu en mangeras pendant quatre jours et tous les matins tu examineras ce qui sortira de ton anus. Si ce qui sort a l'apparence de noyaux noirs, alors c'est que l'inflammation aura été guérie. S'il sort comme des fèves sur lesquelles il y aurait comme de la rosée, là aussi tu peux être rassuré. Si au terme de ces quatre jours rien ne sort, alors tu mâcheras des racines de *degem*[49] avec de la bière, et la maladie sera chassée de ton corps. » Tu imagines la scène, mon frère ? Être forcé de contempler mes « noyaux » sitôt réveillé et ingurgiter cette plante au goût d'huile ! L'horreur... Rien que d'y penser, je sens mes ballonnements qui me reviennent. Aussi, je m'empresse d'interrompre cette lettre. Adieu.

Le Caire

La porte du bureau s'ouvrit brusquement, interrompant la lecture des chercheurs. Un homme d'une soixantaine d'années apparut dans l'encadrement, un sourire chaleureux aux lèvres. Il lança à la volée :

— *Sabah el nour* ! Comment vont mes amis ?

Lucas releva la tête, surpris.

— Hassan ? Que fais-tu ici ? Je te croyais à Londres.

— Je suis rentré hier soir. Et je repars demain pour Saqqara rejoindre la mission française du Bubasteion.

Il montra les papyrus :

— Alors ? Où en êtes-vous ?

Le Français grommela :

— Avant de te répondre, j'aimerais tout de même te témoigner ma gratitude. Grâce à toi, et à notre chère Judith, je ne vois presque plus la lumière du jour.

Il se récria :

— Mais où diable as-tu déniché cette pseudo-correspondance ?

L'égyptologue afficha une moue étonnée :

— Pseudo ? D'où tiens-tu qu'elle soit fausse ?

— Allons ! Un scientifique de ton envergure ne peut pas accorder foi à ce fatras ! L'as-tu déchiffré au moins avant de le remettre à notre amie ?

— Évidemment. Enfin, disons que je l'ai parcouru. Je n'en mettrais pas ma main au feu, mais, au-delà de certaines incohérences ou contradictions, je crois qu'il existe de fortes chances pour que les documents soient authentiques.

Lucas insista :

— Cela ne me dit toujours pas où tu as trouvé ces rouleaux.

L'Égyptien se tourna vers Judith.

— Vous ne lui avez donc pas expliqué ?

La femme haussa les épaules d'un air désabusé.

— Bien sûr que si. Je lui ai dit que c'était un fellah qui vous les avait remis mais il refuse d'y croire.

Hassan El Asmar hocha la tête et confirma à l'intention de Lucas :

— C'est pourtant vrai. Le fellah en question m'a assuré avoir trouvé les papyrus non loin du site où travaille actuellement la mission française à la lisière de Saqqara.

Lucas ricana, claquant des doigts :

— Et il est tombé sur ce trésor en labourant son champ. Comme par enchantement !

— Le même enchantement qui a permis de retrouver en 1887 une cinquantaine de tablettes d'argile. Les fameuses « lettres » de Tell el-Amarna.

Il leva les bras au ciel.

— Mais pourquoi douter à ce point ? Le monde des découvertes archéologiques n'est-il pas fait d'histoires merveilleuses ? Si tu ne crois pas au merveilleux, alors tu fermes la porte à l'impossible. Or notre métier n'est qu'une série de victoires sur l'impossible.

L'Égyptien poursuivit sur sa lancée :

— Vois le destin du sarcophage retrouvé dans la fameuse tombe KV55...

Il s'adressa à Judith :

— Vous saviez que le sarcophage avait disparu depuis 1931 ?

— J'ai suivi cette histoire. Si ma mémoire est bonne, c'est en 2000 ou 2001 que l'on se serait aperçu qu'il se trouvait au musée d'Art égyptien de Munich ?

— Oui, et c'est là que le merveilleux intervient. Une photo ayant fait la une du magazine allemand d'égyptologie *KMT*, le musée fut contraint de reconnaître qu'il était en possession du sarcophage. Selon les dires du directeur, il aurait été offert par la fille d'un certain Nikolas Koutoulakis, antiquaire gréco-genevois, en

1994. Ce même antiquaire l'avait lui-même acheté en Italie, en 1950. Tout cela, à l'insu des instances archéologiques égyptiennes.

Judith conclut :

— Et finalement l'Égypte ne l'a récupéré qu'en janvier 2002.

— Ne vous en déplaise à tous les deux, fit observer Lucas, je ne vois pas de rapport avec cette correspondance tombée du ciel.

El Asmar poussa un soupir d'exaspération :

— De toute façon, je compte soumettre les papyrus au test du carbone 14. J'ai pris rendez-vous à Londres pour la semaine prochaine. D'ici là...

Il jeta un coup d'œil furtif sur sa montre :

— Je dois filer. Si vous êtes libre ce soir, nous pourrions dîner ensemble. Qu'en dites-vous ?

— Avec joie, dit Judith.

Lucas confirma.

— Alors à ce soir, lança l'Égyptien en se dirigeant vers la porte.

Il adopta un air malicieux pour ajouter :

— Et travaillez bien...

À peine se fut-il éclipsé que Lucas grimaça :

— Il nous mène en felouque ou je n'y connais rien.

— Professeur Lucas, n'avons-nous pas fait un pacte tous les deux ? Vous n'allez quand même pas le remettre en question ? Je vous rappelle vos propos : « Je veux bien décrypter avec vous ces écrits. Au pire, leur lecture enrichira vos connaissances sur le sujet. »

Elle questionna :

— Alors ? Nous poursuivons ou non ?

En guise de réponse, l'égyptologue récupéra un

papyrus, rechercha l'endroit où ils auraient dû reprendre leur lecture et s'arrêta sur un passage :

— « *Parallèlement, le pharaon fit ériger le* Hout-benben, *"La demeure de la pierre-*benben*". Pour toi qui as oublié, je te rappelle que le benben est une relique, vénérée depuis des temps anciens. La première éminence qui forme le centre du grand temple solaire d'Héliopolis. Elle figure le sperme pétrifié d'Atoum. La demeure se présentait comme un temple à colonnade, centré sur l'unique obélisque érigé à Karnak par Amenhotep III. Un pas de plus vers le changement.* » Amusant, ce temple dédié à la pierre-*benben*.

— Pourquoi donc ?

— Cette passion que les hommes ont pour les pierres m'a toujours fasciné.

Il enchaîna :

— Voyez la *Kaaba*, la pierre noire qui se trouve à La Mecque et qui est vénérée par tous les musulmans du monde.

— C'est vrai. Il faut bien que l'humain compense ses peurs ataviques. D'ailleurs, il n'y a pas que la *Kaaba*. Tenez, les Romains, par exemple, ne célébraient-ils pas tous les ans, au mois de mars, la statue d'argent de la déesse Cybèle, laquelle avait, disait-on, une pierre sacrée placée à l'intérieur de la tête ? On pourrait aussi parler des Incas. Ils n'étaient pas en reste. Dans une citadelle, au sommet du Machu Picchu, on a trouvé une jolie pierre sacrée vouée à la dévotion du peuple. Je suis sûre qu'en cherchant bien on doit pouvoir répertorier une bonne centaine d'exemples de ce genre.

Elle s'interrompit et questionna à brûle-pourpoint :

— Avez-vous noté l'allusion faite par Anoukis ? Celle où il parle d'un nouveau mode de construction ?

— Un nouveau mode de construction ?

— Les *talatat*[50].

La jeune femme eut un sursaut.

— Suis-je bête ! Bien sûr. Ce sont ces fameuses briques de grès !

— Oui. Pressé par le temps, sans doute, avec l'impatience de sa jeunesse, Akhenaton a dû exiger tout et tout de suite. Par leur taille et leur poids, les *talatat* présentaient les avantages de la brique : peu imposantes, cinquante-deux centimètres de long, sur vingt-deux centimètres de large, à extraire, faciles à transporter et à manier, puisque ne pesant guère plus d'un demi-kilo. Ce sont ces caractéristiques qui ont permis de concevoir et d'accomplir dans des délais extrêmement courts un impressionnant programme de construction.

— Hélas, ces briques faciles à extraire furent tout aussi faciles à démanteler. Les ouvriers iconoclastes de Horemheb n'en ont fait qu'une bouchée, enchaîna Judith.

— C'est vrai. Mais n'oubliez pas que ce sont ces mêmes ouvriers qui les réutilisèrent pour bâtir ou renforcer des monuments ultérieurs – entre autres, les IIe, Xe et IXe pylônes du temple de Karnak – ce qui, aujourd'hui, nous donne l'extraordinaire chance de les étudier. C'est évidemment un travail titanesque. À ce jour, plus de trente-cinq mille *talatat* ont été recensées. Reste à rassembler ces pièces, les ordonner et trouver leur juste emplacement. Un puzzle planétaire !

— Vous avez lu comme moi que le pharaon, prenant tout le monde de court, décide de célébrer une fête-*Sed* après tout juste quatre ans de règne. Avez-vous une explication ?

Lucas passa machinalement sa paume le long de sa joue :

— Une seule qui me paraît cohérente : il a souhaité afficher et proclamer sa nature suprahumaine, sa qualité divine.

— J'ajouterais – et je sais d'avance que vous ne serez pas de mon avis – sa maladie. Il devait se savoir de santé fragile. Il pensait certainement se régénérer à travers la cérémonie. En tout cas, je suis assez ravie de constater que je n'avais pas tout à fait tort lorsque je vous affirmais que les ouvrages conçus le furent sous ses directives. Pour moi, c'est bien la preuve que ces statues qui le représentent avec ce corps androgyne sont bien le reflet de ce qu'il était dans la réalité. D'ailleurs, aucun artiste n'aurait jamais osé tracer un portrait aussi peu flatteur du dieu-roi sans son autorisation.

— Je vois où vous voulez en venir, Judith. Je suis d'accord avec vous pour reconnaître que les artistes n'ont fait que se plier aux desiderata d'Akhenaton. De là à imaginer qu'ils reproduisaient un physique peu ordinaire, il y a un pas que je me refuse de franchir. Cette expérience faisait partie d'une nouvelle forme d'art. C'est tout.

— Pourtant, vous avez bien lu la description de la rencontre entre Bek et le souverain. C'est bien Akhenaton qui dicte sa volonté ! D'ailleurs, l'inscription retrouvée sur la stèle funéraire du sculpteur le précise clairement. Il se décrit comme étant « l'apprenti qui reçut l'enseignement de Sa Majesté ».

Lucas s'enfiévra :

— Une fois encore, vous confondez tout. Prenez un peu de recul, que diable ! Comment espérez-vous rédiger un ouvrage sérieux sur Akhenaton tout en continuant de laisser libre cours à vos emballements ? Si nous examinons les fresques, que constate-t-on sinon qu'elles exprimient les mêmes idées révolutionnaires que le roi a mises en avant dans le domaine religieux ? Les proportions de l'image humaine modifiées vont dans le sens d'une innovation. Pour preuve, elles ne concernaient pas seulement le physique du pharaon ou celui des membres de la famille royale. Les proches du roi eurent tôt fait de se faire représenter sous le même aspect.

— Quoi de plus logique ? Akhenaton avait lancé une mode. Il était donc naturel que ses courtisans manifestent le désir de se faire représenter comme leur souverain pour lui plaire. D'ailleurs, c'est essentiellement l'image du roi qui exprime ces caractères androgynes. Regardez donc le colosse sculpté par Bek, nu, sans parties génitales !

— Tout d'abord, sachez qu'à l'heure où nous parlons certains se posent encore la question de savoir si cette statue représente bien Akhenaton. Il n'est pas impossible qu'il s'agisse de Néfertiti drapée d'une robe extrêmement moulante.

— Néfertiti tenant les sceptres royaux ? Avec une barbe postiche ?, ironisa Judith.

— Cela s'est déjà vu avec des reines héritières, en particulier avec la reine Hatshepsout. Ensuite, permettez-moi de vous renvoyer aux explications fournies dans ces lettres auxquelles vous croyez tant. Je reprends les propos que le pharaon aurait tenus : « Mon corps est la fusion de mon père et de ma mère. Cette statue sera le symbole de l'émanation non sexuée du dieu Aton. Masculin et féminin. Père et mère de l'univers. » N'est-ce pas suffisamment clair ? Akhenaton se voulait être une sorte de dieu-soleil, un dieu qui s'est fécondé lui-même. Homme et femme à la fois.

Ils étaient arrivés sur le seuil du bureau. Judith s'arrêta et pivota vers Lucas.

— Très bien. Alors je vous pose la question sous un autre angle : et si cette idée de dieu asexué avait été inspirée à Akhenaton *par son propre physique* ? Si ce physique féminin était venu conforter une pensée qui frémissait déjà dans son esprit, pensée entretenue par le clergé d'Hermopolis, par le comportement de son père qui prenait déjà ses distances avec Amon, ou par celui d'autres personnages que nous ignorons ? Si ce physique, son attirance pour les hommes et *pour les femmes*, au lieu de l'inhiber, l'avaient au contraire encouragé à défendre et à promouvoir la vision du monde qu'il avait commencé, très jeune, à percevoir ? Après tout...

Elle leva la main comme pour une mise en garde.

— Je sais. Vous allez hurler. Mais ne pourrait-on pas comparer ce cheminement avec celui d'un Moïse, d'un Jésus ou d'un Mahomet ? La doctrine prêchée par les trois personnages s'inspirait elle aussi d'un enseignement ancien. Jésus s'appuyait sur la Torah, Moïse avait eu Abraham comme ancêtre, et Mahomet a nécessairement été influencé par les deux prophètes monothéistes qui l'avaient précédé. Ce qui différencie Akhenaton de ses successeurs a pu être son physique. Un physique et une sensibilité qui, comme je vous le disais, l'ont encouragé à aller beaucoup plus loin que son père, et à franchir un pas que personne avant lui n'eût osé franchir.

Lucas ne répondit pas. Il posa sa main sur la poignée de la porte et invita la jeune femme à le précéder.

Keper à Anoukis

Ta lettre m'a été remise alors que je me livrais à une partie de *senet* avec mon voisin Kehat. Il est très fort à ce jeu. Je n'ai jamais pu le battre, sauf une fois, le lendemain du jour où lui et moi découvrions la statue géante, asexuée, du pharaon défunt. Cette vision lui avait tellement tourneboulé l'esprit que le malheureux Kehat fut incapable de se concentrer pendant les heures qui suivirent. Les osselets et les bâtonnets lui glissaient des mains tant il tremblait, et tout naturellement j'en ai profité pour gagner haut la main. Tremblait-il de peur ? De honte ? À cette époque, j'eusse été incapable de le dire. Depuis, j'ai compris. Nous avons parlé. Il ne s'agissait ni de peur ni de honte, mais d'admiration. Voilà qu'il découvrait l'image d'un dieu à sa mesure. Un dieu débarrassé du fatras habituel, un dieu *vrai*, qui n'était pas pourvu d'un corps d'athlète et d'une musculature de buffle. Enfin un pharaon imparfait qui nous renvoyait à notre image. Finis les superlatifs, finie cette morbidité qui accompagnait nos gestes quotidiens depuis la nuit des temps. En fait, nous avons été parmi les premiers à saluer ces innovations. Même celle qui concernait les *ous-hebti*[51]. Je pense qu'Akhenaton a eu une idée bien noble en décidant d'éliminer des inscriptions la formule magique qui les rendait actives. Tu t'imagines un peu quel soulagement pour nos larbins posthumes qui étaient condamnés à accomplir des travaux des champs dans l'au-delà !

Tu te demandes quelle mouche a donc piqué le pharaon pour organiser une fête-*Sed* après quatre années de règne. Tout d'abord, j'espère que tu as bien compris que, en se lançant dans des constructions dédiées à Aton en plein cœur de Karnak, Akhenaton faisait fi des membres du clergé thébain. Somptueuse provocation que j'ai, pour ma part, applaudie à tout rompre. Il y a aussi un détail important que tu oublies de mentionner. Tu n'es pas sans savoir que, depuis toujours, les femmes avaient le droit de servir au temple en qualité de prêtresses, de musiciennes ou de danseuses, et plus d'une reine a bénéficié d'une position honorifique dans le culte d'Hathor. Certaines souveraines auraient même entretenu des relations très intimes avec les dieux. Ne sont-elles pas censées pouvoir éveiller chez eux des érections divines ? À titre d'exemple, Moutemouia, la grand-mère du roi, n'a-t-elle pas conçu son fils avec Amon ? Cependant, la tradition impose qu'en ce qui concerne la faculté de faire des offrandes seul le pharaon y est autorisé grâce à sa fonction de premier prêtre de tous les cultes. Or, dans l'enceinte du *Hout-benben*, il ne m'a pas échappé que c'est Néfertiti et non Akhenaton qui a assumé ce rôle. Cela confirme bien ce que je t'avais dit dans une précédente lettre : Akhenaton est passé d'une mère à l'autre. Cet acte symbolique a figuré le commencement de l'ascension de Néfertiti. Une ascension qu'aucune reine à mon sens, à part Hatshepsout, n'a égalée. D'ailleurs, à propos de la reine, sais-tu que son nom, Nefer-Neferou-Aton-Néfertiti, devint un véritable casse-tête pour nos tailleurs de pierre. Malheur à ceux qui sculptaient un cartouche sans y laisser suffisamment de place pour caser tous les signes ! L'angoisse de l'artiste...

J'y pense ! Tu as oublié de mentionner la jolie fête de l'*Opet* qui s'est déroulée cette même année. Ce qui était révélateur du paradoxe que devait affronter notre pharaon. D'une part, il titillait les prêtres d'Amon ; de l'autre, il se pliait à la tradition puisque l'*Opet* n'est pas seulement consacré à la célébration du premier jour de l'année, mais *aussi* à la gloire d'Amon. J'ai toujours aimé ces journées. Non pour le faste et les ors, encore moins pour sa religiosité redondante, mais pour le fleuve et la vie qu'il nous prodigue. Je l'aime aussi parce que c'est la fête de tout le peuple, de chaque Égyptien, sans distinction aucune. Cette année-là, il me souvient que les festivités commencèrent le quinzième jour du deuxième mois de l'inondation. Le ciel était d'un bleu particulier, ce bleu que tous les pays nous envient. Dense. Si dense, à la fois métallique et doux, brûlant et apaisant.

Les premières cérémonies avaient commencé comme il se doit, dans l'enceinte de Karnak. Depuis l'aube, les marchands avaient pris place au pied de l'immense pylône. Vendeurs de tout : de grenades, de raisins, de pastèques, de figues de Barbarie, de pains, de volailles prêtes pour la cuisson ou déjà cuites. Et leurs cris se confondaient.

Les prêtres, crânes rasés, s'étaient rendus au « Grand Lieu » où étaient remisées les trois barques miniatures consacrées successivement à Amon, à son épouse Mout et à son fils Khonsou. La barque d'Amon était la plus grande ; reconnaissable entre mille par les deux têtes de bélier qui ornent la proue et la poupe. Les porteurs les avaient chargées sur leurs épaules, avaient franchi les cours, pris l'allée bordée par les sphinx et s'étaient dirigés vers le lac sacré relié au fleuve. Là les attendait la flotte amarrée le long du quai. Trois vaisseaux s'en détachaient. C'étaient les reproductions, mais grandeur nature, des trois barques portatives. De véritables temples flottants, longs de plus de cent coudées. Je me suis toujours demandé comment ils pouvaient flotter alors qu'ils étaient couverts d'or, de tant de lapis-lazulis, d'argent, de cuivre et de turquoises. Le long des coques, on pouvait admirer des dessins qui représentaient le roi accomplissant pour Amon les rites connus. À la place habituellement occupée par le timonier était disposé le tabernacle qui abritait les effigies des divinités. Le pharaon, accompagné de la reine, suivait les porteurs. Ce jour-là, « La Belle est venue » était plus resplendissante que jamais. En tête du cortège marchaient un soldat et un joueur de tambourin. Ce dernier, qui n'avait pas vingt ans, s'appelait Sethy. Ce souvenir est vif, car Sethy n'est autre que le fils de mon frère. Lorsque l'on atteignit le Nil, on installa les trois nefs miniatures, chacune sur l'embarcation qui lui était dévolue. Hymnes, chants, sistres et luths : le ciel buvait la musique et nos cœurs s'enflaient d'exaltation.

Mais ces lourds vaisseaux – en raison de leur poids – ne peuvent se mouvoir par eux-mêmes. On doit d'abord les héler du lac sacré jusqu'aux eaux profondes, ce qui exige la mobilisation de centaines de soldats. Ils étaient présents. Ils nous attendaient, vêtus du pagne militaire, armés de piques, de haches, de boucliers, encadrés par les porte-enseignes et les marins. Après une prière adressée à Amon, les hommes qui avaient été désignés pour le halage saisirent les câbles et, encouragés par les clameurs de la foule, firent glisser les nefs jusqu'au grand

Nil. On les attacha ensuite à leurs bateaux remorqueurs, et le voyage commença.

Le dieu Amon glissait sur les flots. Derrière le couple royal avançait le porteur d'encensoir qui tenait un grand récipient d'or dans lequel brûlait de la résine de térébinthe. Le parfum qui s'en dégageait était si fort qu'il imprégnait notre peau et nos cœurs. Le couple était suivi du grand prêtre, crâne luisant, vêtu uniquement – ainsi que l'exige la coutume – du pagne en peau de léopard. Encadrés par des danseurs, des danseuses moitiés nues, des acrobates, des jongleurs, des chanteuses et des enfants, nous suivions le long de la berge, incapables de quitter le spectacle des yeux. Parvenues à destination, les barques sacrées furent soulevées à nouveau et transportées dans le sanctuaire du temple. Onze jours plus tard, la procession fit le chemin inverse. Amon attendrait là, dans sa remise de Karnak, la naissance de l'an neuf.

Oh ! comme je suis triste tout à coup. Ta mélancolie est contagieuse. Je hais Memphis. Ce n'est pas une ville, c'est une place d'armes, surpeuplée et bruyante. La faute à tous ces navires qui convergent de chaque branche du Nil vers le port. La faute à ces marchands tyriens [52], cariens [53], barbares ! Tous ces étrangers qui ont pris résidence dans nos murs. Tu devrais voir à quoi ressemble aujourd'hui le quartier de Pérou-Nefer, « Le beau voyage [54] ». Tu parles d'un beau voyage ! J'étouffe ici !

Si tu savais comme je vis à l'étroit et comme je pleure ma maison d'Akhetaton. Tu m'as souvent rendu visite. Tu n'as pas oublié. Deux étages, de larges fenêtres fermées par ces magnifiques rideaux multicolores que j'avais fait tisser dans l'atelier de Senmout. Et ma chambre ! Un palais ! Chaque soir, avant de m'endormir, je me calme les humeurs en me remémorant les murs sur lesquels j'avais fait peindre des bleuets à calices verts, des fleurs jaunes de perséa, des pavots rouge-brun tachetés de noir et des pétales blancs de fleur de lotus. Je ferme les paupières, et je me promène dans mon jardin. Plus de deux cents coudées carrées[55], peuplées de sycomores, de centaines de palmiers, de figuiers, de tamaris et de pieds de vigne. Une vraie prouesse que les jardiniers avaient accomplie dans ce coin cerné par le désert. Et mon lit. Ah ! mon lit. Conçu dans le meilleur bois de pin. Il était si haut que pour m'y hisser j'avais fait poser un marchepied. Vois aujourd'hui quelle déchéance est la mienne. Est-il juste qu'à mon âge je sois contraint de coucher sur un vulgaire grabat, à même le sol ? Si tu savais combien mes reins en souffrent !

Allons ! Comme tu dis si bien, trêve de verbiage. Mais laisse-moi quand même achever cette missive par ceci : sois maudit, Horemheb !

Anoukis à Keper

Tu as fait monter mes larmes. Et moi qui te croyais heureux à Memphis ! Écoute-moi donc : pourquoi ne viendrais-tu pas passer quelques jours chez nous ? Nous n'irons pas chasser les oiseaux sauvages ou pêcher le poisson comme jadis, ce n'est hélas plus de notre âge, mais nous pourrions passer des soirées agréables à deviser et, pourquoi pas ?, à jouer au *senet*, bien que je préfère de loin le jeu de dames. Cela étant, dis-toi que Thèbes a aussi ses inconvénients. S'il est vrai que la cité est flamboyante, que nos maisons entourées de ravissants jardinets emplis de fleurs sont plaisantes à vivre, je trouve tout de même que le vacarme qui monte du port est tout aussi difficile à supporter qu'à Memphis. Tous ces bateaux serrés les uns contre les autres ! On a les oreilles assourdies par les cris qui fusent de partout, lancés par les contremaîtres qui dirigent le déchargement des pierres venues des carrières du Sud, par les marchands qui accueillent les fruits de Syrie, les tonneaux de vin des îles ioniennes ou le bétail de Basse-Égypte. Et, si dans le labyrinthe des rues étroites flotte une agréable odeur de poissons ou de pigeons grillés, la pestilence des cloaques n'est pas très éloignée. Comme tu le sais, seuls les habitants qui occupent les résidences qui bordent le Nil ont la faculté de jeter leurs détritus dans le fleuve ; les autres s'en débarrassent n'importe où, n'importe comment. Et les mouches ! Ah ! les mouches... À la poursuite de sang chaud, ces maudits insectes n'épargnent ni les gueux ni les Grandes Épouses royales, non plus que les pharaons.

Comme les saisons passent, et combien nous voilà fragiles ! Il me semble nous voir hier en train de glisser discrètement entre les roseaux et les papyrus au port gracieux, voguant à bord de cette nacelle de fortune, le long de ce marécage dont j'ai oublié le nom, près d'Illahoum. Quel âge avions-nous ? Dix-sept ans ? Un peu plus ? Au-dessus de nos têtes, les oiseaux des marais volaient en si grand nombre qu'on eût dit des nuages. Nous n'étions pas seuls. Il y avait Miaou, le chat que mon père avait dressé à force de patience pour rapporter les oiseaux des fourrés lorsque, par bonheur, nous parvenions à en abattre un. Il y avait aussi la petite Aneski. Je me rappelle encore son nom, car la sœur de mon frère portait le même. Elle n'avait pas quinze ans. Elle te mangeait des yeux, roucoulait et gloussait chaque fois que tu jurais. Car tu jurais déjà ! J'entends encore résonner dans ma tête son éclat de rire quand tu t'es dressé pour lancer ton arme de jet en direction d'un canard et que, dans ta fougue, perdant l'équilibre, tu as fini dans l'eau. Un jour, tu me diras si tu as connu secrètement la petite. Je crois bien que oui. Vu le corps qu'elle avait, un corps de femme déjà, tu n'aurais pas laissé filer pareille occasion !

Dans ma dernière missive, je m'étais arrêté à Karnak, en l'an IV du règne d'Akhenaton. C'est à ce moment, disais-je, que je perçus les signes avant-coureurs du grand bouleversement qui n'allait plus tarder à survenir. Précisons toutefois que, hormis le défi qu'il avait lancé aux prêtres de Thèbes en élevant au cœur de Karnak des édifices à la gloire d'Aton, le souverain se garda bien de s'attaquer à eux, et ne fit rien pour réprimer de quelque façon que ce soit le culte d'Amon-Rê. Le nom du dieu continua d'être prononcé en même temps que celui du pharaon, et May, le grand prêtre, ne fut à aucun moment menacé dans son sacerdoce. Pourtant, sous des apparences tranquilles, un feu couvait. Une vraie tension s'était insinuée entre le jeune pharaon et Thèbes, « La ville du roi des dieux ». Pourtant, les temples érigés en l'honneur d'Aton, les offrandes, sous forme de nourriture ou métaux précieux, n'avaient rien de choquant, ou d'extraordinaire. Mais on voyait bien que l'attitude des prêtres était en train de changer. Pressentaient-ils que nous n'étions qu'au début d'un phénomène plus important ? Craignaient-ils pour leurs possessions ? Acceptaient-ils mal de voir à la tête de l'empire un pharaon famélique associé à une reine qui offrait toutes les apparences de la force virile ? Qui pourra nous répondre ? Une chose est sûre : ce furent des heures de grands tourments, des saisons de grandes douleurs jusqu'au jour où, vers la fin de la cinquième année, le drame éclata. Jamais ! Jamais je n'aurais cru que le clergé pût être capable d'une telle monstruosité ! Car nul doute que ce sont les prêtres qui fomentèrent l'abject crime. Bien sûr, ils nièrent en vrac. Ils finassaient ! S'ils ne tirèrent pas la flèche, nous savons qu'ils ont armé l'arc. Lorsque nous découvrîmes avec horreur ce qu'ils avaient tenté de faire – et qu'ils furent à deux doigts de réussir –, la consternation et l'effroi envahirent le cœur de « Celui que j'aimais ». Il se prit la tête entre les mains, et je l'entendis murmurer d'une voix rendue tremblante par le mépris : « Ce qui sort de la bouche des prêtres est pire que ce que j'ai entendu en l'an IV, pire qu'en l'an III, pire qu'en l'an II, pire qu'en l'an I. Plus odieux encore que ce qu'avait entendu Amenhotep II, pire que ce qu'avait entendu Djehoutymes IV. »

Après avoir prononcé ces mots, il s'était levé, avait ordonné que l'on apprête son char et s'était élancé hors du palais, seul, sans protection, en pleine nuit.

Il ne réapparut que deux jours plus tard, incroyablement apaisé. Ses traits rayonnaient. Ses yeux brillaient de mille feux, et son expression était dénuée de tout signe de fatigue. Le lendemain, alors que l'aube n'était pas encore levée, il fit réveiller Parennefer, le majordome royal, Panhesy, nommé depuis peu maître des serviteurs d'Aton, le vizir Nakht, quelques fidèles, moi-même, et nous demanda de le suivre. Ah, j'oubliais ! Il y avait aussi ce chien de Horemheb, qui venait d'être promu chef des recrues. Horemheb... Nous reparlerons de lui plus tard.

Le ciel était encore plein d'étoiles. Une nef était prête. Nous y embarquâmes. Au terme de six jours de navigation, le pharaon donna l'ordre d'accoster. À ce moment-là, nous étions presque à mi-chemin de Thèbes et de Memphis, dans le nome du Lièvre, sur la rive orientale[56]. En face, sur l'autre versant, légèrement au nord, je savais que s'élevait la ville d'Hermopolis. Comme

Parennefer s'étonnait de cet arrêt soudain au milieu de nulle part, le souverain le fit taire d'un geste sec de la main et nous demanda de mettre pied à terre.

Un silence absolu régnait alentour. Maintenant que la lumière du jour commençait à poindre, on pouvait mieux distinguer le décor. Les falaises de calcaire qui habituellement escortent le Nil reculaient ici, décrivant comme une enclave. J'accompagnai le regard de « Celui que j'aimais » pour essayer de découvrir ce qu'il observait avec tant d'intensité : des montagnes arrondies formant une sorte d'amphithéâtre. Une plaine oblongue, refermée sur elle-même avec, pour seule ouverture, le Nil. Rien dans ce paysage qui eût pu séduire. C'est alors que je le vis ! Oui, à l'est, je vis le soleil qui s'élevait lentement dans l'échancrure formée par un *ouadi*[57] desséché. Il me fallut un peu de temps avant d'assimiler l'importance de ce signe et tout ce qu'il contenait de symboles. Écoute-moi bien : l'astre solaire était en train de monter vers le ciel entre deux collines exactement. Étais-je victime d'une illusion ? Étais-je sous l'emprise de « Celui que j'aimais » au point de voir ce qui n'existait pas ? Non. Tout était réel. Le soleil et les deux collines formaient l'hiéroglyphe *akhet* 𓈌 !

Akhet signifie « horizon ». As-tu bien compris ce que j'essaie de te dire ? Il ne s'agissait pas d'une coïncidence, mais d'un appel. Le dieu transmettait un message à son élu. Dans l'instant, je ne perçus pas en quoi consistait ce message, et je me gardai bien de poser des questions. Comme mes autres compagnons, je restais immobile, en attente. Combien de temps ? Enfin, la voix du souverain brisa le silence :

— C'est ici. Ici que nous bâtirons la cité de mon dieu.

Il marqua un temps et dit encore :

— Ses limites n'en seront ni plus au sud, ni plus au nord, ni plus à l'ouest, ni plus à l'est. Et nous l'appellerons Akhetaton. « L'Horizon d'Aton[58] ».

Je pensais : « Pas un temple, non. Pas une chapelle. Non. Il a bien dit "une nouvelle cité". »

Quelqu'un, peut-être était-ce Parennefer, risqua :

— Sommes-nous sûrs que le site n'a pas déjà été acquis par des prêtres ?

— Non. Il n'appartient à personne. Il est, il fut, il sera à Aton.

J'observais, mais sans l'exprimer, qu'il n'y avait rien d'étonnant que le site fût sans propriétaire. Qui aurait voulu de ce coin triste de désert, si loin de tout ?

J'entendis alors Horemheb baragouiner quelques mots dont je ne retins que : « Il prend des risques... Dangereux... »

Akhenaton qui, décidément, était aux aguets de tout et de tous, opéra une volte vers le chef des recrues :

— Serais-tu inquiet, Horemheb ?

— Oui, je le suis, Majesté.

— M'en diras-tu la raison ?

— J'ai peur. Peur que cette nouvelle cité n'enrage un peu plus les gens d'Amon, peur aussi pour tes frontières.

Le pharaon fronça les sourcils.

— Mes frontières ? Un ennemi inconnu serait-il en marche vers nous ? L'Égypte serait-elle en danger ?

Horemheb secoua la tête.

— Non. Mais, depuis quelques saisons, je sens que le vent tourne en notre défaveur. Des Bédouins, des brigands pillent nos provinces et bafouent ton nom, des princes rebelles ne s'acquittent plus du tribut. Des...

Le roi l'arrêta d'un geste de la main.

— Tes craintes ne sont pas plus solides que ce vent

dont tu crois savoir qu'il tourne en notre défaveur. L'amour, Horemheb, l'amour est le plus admirable pillard de tous, le plus farouche des brigands, le prince le plus rebelle : cet amour qui est dans nos cœurs jaillira par la grâce d'Aton et inondera le monde. C'est lui qui vaincra !

Il détourna son regard et dirigea son index sur un point de désert :

— Ici ! Que l'on fasse construire un autel ! Quand il sera prêt, nous reviendrons sanctifier le lieu.

Levant les bras au ciel, il poursuivit d'une voix sereine :

— Aussi vrai que mon père Rê-Horakhty, qui est Aton, vit, je vais construire cette cité, à cette place-là. Je ne construirai pas au sud ou au nord, à l'ouest ou à l'est, je ne déplacerai pas la stèle du nord vers le nord. Je ne la lui construirai pas à l'ouest d'Akhetaton, mais je construirai Akhetaton pour Aton, mon Père, à la place qu'il a marquée lui-même. Et que la reine ne vienne pas me dire : « Vois, il y a là un bel emplacement pour Akhetaton, dans cet autre lieu », et, moi, que je ne suive pas ce qu'elle dit. Et qu'un fonctionnaire des fonctionnaires de la Grâce ne vienne pas me dire : « Vois, il y a un plus bel emplacement. » Je ferai élever le grand temple d'Aton, pour Aton, mon Père, à cette place-là. Je ferai élever le petit temple d'Aton pour mon Père, Aton, à cette place-là. Je ferai élever l'Ombre solaire de la Grande Épouse royale Nefer-Neferou-Aton-Néfertiti pour Aton, mon Père, à cette place-là. J'organiserai tous les travaux à cette place-là. Je ferai tracer un palais royal pour moi, et un autre pour l'Épouse royale à cette place-là. On bâtira mon tombeau dans la montagne orientale, à l'est d'Akhetaton, dans lequel on devra m'enterrer dans des millions de fêtes-*Sed* que mon Père, Aton, m'ordonnera.

On devra y enterrer aussi la Grande Épouse royale Néfertiti dans des millions d'années, et la princesse Meritaton dans des millions d'années. Si je meurs dans une ville du Nord, du Sud, de l'Est ou de l'Ouest, dans des millions d'années, qu'on me ramène et qu'on m'enterre aussi à Akhetaton. Si la Grande Épouse royale meurt dans des millions d'années, dans une ville du Nord, du Sud, de l'Est ou de l'Ouest, qu'on la ramène et qu'on l'enterre à Akhetaton. Si la princesse Meritaton meurt dans une ville du Nord, du Sud, de l'Est ou de l'Ouest, dans des millions d'années, qu'on la ramène et qu'on l'enterre à Akhetaton. Qu'on bâtisse des tombeaux pour les plus grands des Voyants, les Pères divins d'Aton et les serviteurs d'Aton. Qu'on bâtisse des tombeaux pour les fonctionnaires et tous les sujets dans la montagne à l'est d'Akhetaton dans laquelle on devra les enterrer !

Sur sa lancée, il apostropha le scribe royal et Bek, le sculpteur :

— Suivez-moi ! Je vais vous indiquer les limites de la future ville. En chaque endroit désigné vous dresserez des stèles : quatorze en tout. Et vous y graverez les mots que je vous dicterai, au nom d'Aton.

Bek et le scribe acquiescèrent, et le trio s'ébranla dans un nuage de poussière dorée. Lorsqu'ils revinrent vers nous, le soleil était à la verticale du fleuve.

Le pharaon ordonna :

— Nous rentrons !

Tout le long du trajet, personne, pas même Horemheb, n'osa faire le moindre commentaire, non de peur de s'attirer le courroux du souverain, mais parce que nous étions incapables de penser tant nous étions troublés. Pour « Celui que j'aimais », tout était si clair ; pour nous, tout était si confus. Certains, mis au courant du projet, firent part au pharaon des inconvénients inhérents au choix de ce site et lui firent observer que, s'il était judicieux que la future cité fût éloignée de tout et surtout de la capitale, ce même éloignement faisait aussi sa faiblesse car, ainsi isolé, il s'avérerait bien difficile de dispenser au reste du pays l'enseignement du dieu privilégié par le pharaon. Il y avait aussi les risques d'incursions, d'agressions : le désert à cet endroit est traversé par des personnages peu recommandables, des tribus indisciplinées qui vivent de meurtres et de rapines. Aucune des critiques n'eut le don d'influer sur la décision du souverain. Comme je l'ai déjà dit : « Pour lui, tout était clair. »

Une trentaine de jours plus tard, l'autel exigé par le souverain avait été érigé, et nous retournâmes sur le lieu afin de procéder à la cérémonie dédiée à Aton et à l'inauguration officielle du chantier. C'est à cet endroit que le pharaon donna son premier ordre aux architectes : « Ici, en lieu et place de l'autel, vous bâtirez le sanctuaire intérieur du grand temple qui sera consacré, à l'exemple de la ville, au dieu unique ! »

Le dieu unique. Ce sont bien les mots qu'il a prononcés. Le dieu unique.

J'échangeai un regard avec Parennefer. Si quelqu'un nous avait surpris, il aurait certainement décrypté la même interrogation muette : un dieu unique. Mais alors ? Qu'allait-il advenir des autres dieux ?

La voix du pharaon nous ramena au présent. Il avait escaladé les quelques marches qui conduisaient à la plateforme sur laquelle l'autel de pierre était posé et nous exposa sa vision. Il nous décrivit chaque détail, chaque rue, chaque maison et les êtres qui y vivraient. Il s'exprima sans passion, je veux dire : sans fièvre. Par moments seulement, lorsque l'émotion était trop grande, sa voix tremblait un peu. Il énuméra la liste des bâtiments à construire et acheva son exposé en décrivant les édits liés au culte d'Aton qu'il avait l'intention de promulguer, précisant les offrandes qui lui seraient rendues, les fêtes, les jubilés qui seraient organisés.

C'est en revenant à Thèbes que nous apprîmes l'heureuse nouvelle : Néfertiti avait donné le jour à un troisième enfant. Une fille : Ankhsenpatoon, « Celle qui vit d'Aton ». Mais était-ce vraiment une bonne nouvelle ? Pouvait-on se réjouir de l'absence d'héritier mâle ? Une rumeur laissa entendre qu'en apprenant la nouvelle la reine mère Tiyi aurait brisé un vase. Mais nous savons ce que valent les rumeurs...

Je prends congé de toi, ami, et te serre fraternellement contre mon cœur. Il est l'heure de ma sieste.

seulement, lorsque l'émotion était trop grande, sa voix tremblait un peu. Il fut question d'[illegible] de personnes consternées et [illegible] les [illegible] autant qu'[illegible] de [illegible] les [illegible]
[illegible]
[illegible] revenons à [illegible] que nous apprîmes l'heureuse [illegible] jour. [illegible] troisième [illegible] une bonne nouvelle [illegible] Durant [illegible] notre [illegible] nous savons ce [illegible] les [illegible] porte [illegible] [illegible]

Le Caire

Philippe Lucas laissa échapper un petit rire.

— Il m'amuse, notre mystérieux correspondant.

Il désigna un passage du manuscrit et reprit :

— Il nous dit : « *Précisons toutefois que, hormis le défi qu'il avait lancé aux prêtres de Thèbes en élevant au cœur de Karnak des édifices à la gloire d'Aton, le souverain ne fit rien pour agir contre eux.* » On croit rêver devant une si grande naïveté ! Cet Anoukis n'aurait donc pas eu conscience de l'énormité de cette action ? Dédier dans le saint des saints des prêtres d'Amon un sanctuaire à la gloire d'Aton. Qu'eût-il fallu accomplir de plus pour s'attirer les foudres des prêtres ? Renverser les statues ? Incendier Thèbes ?

— En tout cas, rétorqua Judith, si l'on en juge par cette réplique sibylline : « *Ce qui sort de la bouche des prêtres est pire que ce que j'ai entendu en l'an IV* », etc., les choses ont dû mal tourner.

Elle écarta une mèche rebelle qui flottait sur son front et interrogea, l'air songeur :

— Qu'est-ce qui a bien pu se passer ?

— Comment savoir ? Il est en tout cas probable qu'à un moment la situation a dû incroyablement s'envenimer au point de rendre l'atmosphère invivable. Une alternative s'imposa alors : soit livrer bataille aux prêtres – ce qui eût été hautement périlleux –, soit quitter Thèbes. C'est la seconde voie qu'a choisie Akhenaton. En partant, et en décidant de construire une cité nouvelle, il faisait, si j'ose dire, d'une pierre deux coups. D'une part, il reléguait Thèbes au second plan, et avec lui le clergé ; de l'autre, il créait un lieu vierge propice où il pourrait à loisir entretenir et développer sa nouvelle vision du monde.

— Une vision de taille modeste... Je veux parler de la superficie de la ville.

— La zone comprise entre ce que nous appelons les « stèles frontières » mesurait environ seize kilomètres sur treize, c'est-à-dire une superficie beaucoup plus vaste que la ville elle-même[59]. Mais il est difficile d'évaluer quel était le pourcentage de terres fertiles qui occupaient ce territoire. En se fondant sur des estimations, on peut imaginer que les cultures pratiquées permettaient tout de même de nourrir entre trente et quarante mille personnes.

Il marqua une courte pause, puis :

— Vous souvenez-vous de ce que je vous ai dit en parlant de la volonté d'Akhenaton de rompre avec les us et coutumes passés ? Je vous ai fait observer que « rupture » avait été le maître mot de sa vie. Or, si vous relisez le passage où il est question de son inhumation et de celle des siens sur la rive orientale, c'est encore la rupture. Jamais à ce jour un pharaon ou les membres de sa famille n'avaient été enterrés ailleurs que dans la vallée des Rois sur le territoire d'Amon.

Lucas se leva brusquement.

— Il se fait tard. Si nous allions dîner ?

— Volontiers. Je connais un endroit qui vous enchantera.

— Pas trop bruyant, j'espère.

La jeune femme se mit à rire.

— Nous sommes au Caire, professeur Lucas, l'auriez-vous oublié ? C'est ici que le bruit a vu le jour !

Elle s'empressa d'ajouter :

— Mais là où je vous emmène, le silence a trouvé un havre.

Il leur fallut plus d'une heure pour franchir le pont Kasr el-Nil qui enjambe le fleuve, longer la bâtisse de l'Opéra, don du Japon à l'Égypte, traverser Gizeh, et s'engager enfin sur l'ancienne route dite des Pyramides.

Philippe Lucas lança un coup d'œil désabusé vers la multitude d'immeubles hétéroclites, de villas, de boutiques qui bordaient la route.

— Dire qu'il n'y a pas si longtemps tout n'était que champs, ruisseaux et étangs à perte de vue...

— Pas si longtemps ? Il faut remonter à l'époque des écrivains voyageurs et des savants de l'Expédition !

— Détrompez-vous, Judith. Dans les années 1960, on pouvait encore apercevoir des étendues verdoyantes, des palmiers et les pyramides à l'horizon. C'est après que les choses se sont dégradées. Maintenant, il faut aller chercher les pyramides entre deux immeubles, une forêt de cordes à linge et une armée d'antennes paraboliques ! Il y a quelque temps, les autorités ont même envisagé de faire passer une autoroute à l'ombre de Kheops. Dieu merci, un mouvement écologiste a réussi à faire capoter ce projet insane ! Pour le Nil, l'agression est la même. Vous connaissez, bien entendu, l'écrivain égyptien Nadjib Mahfuz, prix Nobel de littérature... C'était et c'est toujours un grand amoureux du Nil. Parlant de sa jeunesse, il me souvient d'avoir lu qu'il disait : « *De mon temps, le Nil n'était pas méprisé comme aujourd'hui. On n'y jetait pas les déchets des usines. On ne construisait pas sur ces rives des immeubles hideux. L'Égypte moderne est presque parvenue à étrangler ce fleuve éternel, veine de la vie, que nos ancêtres ont vénéré*[60]. »

Le taxi venait de quitter l'artère principale pour s'engager sur une petite route cahoteuse qui longeait un canal.

— Nous y sommes presque, annonça Judith.

Une dizaine de minutes plus tard, le véhicule stoppa devant l'entrée d'un restaurant à ciel ouvert. En apercevant l'enseigne au néon, Lucas s'exclama :

— Je suis déjà venu ici !

— Non ?

— Parfaitement. C'était il y a une quarantaine d'années.

Il régla au chauffeur le montant de la course dont ils étaient convenus – les compteurs des taxis égyptiens, à l'exemple des feux rouges n'ont qu'un usage « décoratif » – et expliqua :

— Si je ne me trompe, le restaurant appartenait alors à un Grec. Un certain Andrea, réputé pour son pain « fait maison », ses poulets et ses pigeons grillés.

Judith indiqua un coin près de l'entrée : une jeune femme était accroupie à même le sol au pied d'un four à pain et pétrissait la farine.

Lucas hocha la tête d'un air entendu.

— En effet. C'est cela aussi, l'Égypte. Des gestes ancestraux qui narguent le temps.

— Vous oubliez le sens de l'anecdote et celui de l'autodérision. Deux qualités qui ont permis à ce peuple de résister à toutes les misères qu'on a pu lui infliger. Ici, ils appellent cela la *nokta*. Une manière de survivre en se moquant de son propre sort.

Judith prit place à la table proposée par le maître d'hôtel tout en poursuivant :

— D'ailleurs, des caricatures trouvées dans certaines tombes dénotent que cette tournure d'esprit vient de très loin. Elle doit appartenir au patrimoine génétique de ce peuple.

L'égyptologue approuva d'un hochement de tête tout en examinant le menu pour la forme ; son choix était déjà fait : une salade, du *hommos* et un pigeon grillé. Le tout arrosé d'une bière Stella, bière que Lucas considérait comme étant la meilleure au monde.

Ils venaient à peine de passer la commande qu'une voix tonitruante retentit à quelques tables de là.

— Je ne rêve pas ! C'est bien toi ?

Une silhouette, celle d'un petit homme replet et barbu, se déplaça dans la direction du couple et se campa devant l'égyptologue :

— Philippe Lucas ! En chair et en os !

Le Français répondit, visiblement déconcerté :

— Heu, à qui ai-je l'honneur ?

— Allons ! Ne me dis pas que tu ne me reconnais plus ! Ça ne fait que vingt-cinq ans, après tout.

L'homme écarta les bras et lança comme une évidence :

— Artine Sarafian ! Artine !

Lucas scruta un moment le personnage et finit par s'exclamer :

— Le fou d'Alexandre !

L'homme prit Judith à témoin.

— Avez-vous entendu, madame ? Ce sont des êtres comme celui-là qui déclenchent des guerres.

L'égyptologue s'était levé et tendait la main à son interlocuteur.

— Ravi de te revoir.

Il désigna un siège libre.

— Joins-toi à nous.

— Merci. Des amis m'attendent.

Lucas expliqua à l'intention de Judith :

— J'ai connu Artine il y a bien longtemps, à Alexandrie. Je m'occupais alors d'une mission chargée de retrouver la nécropole grecque. Celle-là même qui, depuis, a été mise au jour par l'équipe de Jean-Yves Empereur. Artine a déboulé un matin et nous a littéralement rebattu les oreilles avec ses théories.

— À propos de la nécropole d'Abbari ?

— Pas du tout. À propos d'Alexandre le Grand.

Judith fronça les sourcils.

— Oui. Ce cher ami était persuadé...

— Est persuadé ! rectifia le dénommé Artine.

— Est persuadé... que la tombe du fondateur d'Alexandrie est située quelque part sous les dunes de l'oasis de Siwa. Il voulait absolument nous convaincre de remettre à plus tard nos travaux pour que nous entreprenions des fouilles dans cette région.

— Si ma mémoire est bonne, rétorqua la jeune femme, ces fouilles ont bien eu lieu.

— En effet. En février 1995. Sous l'impulsion d'une archéologue grecque dont j'ai oublié le nom.

— Liana Souvaltzis, précisa Artine Sarafian. C'est moi qui l'ai convaincue de se lancer dans les fouilles.

— Et... me semble-t-il, vous n'avez rien trouvé.

L'Arménien s'enflamma :

— Nous n'avons rien trouvé parce que les autorités

égyptiennes ne nous ont pas laissé le temps ! Un an plus tard, on nous a ordonné de suspendre la mission.

— Faute de preuves tangibles, souligna Lucas.

— Ouais... facile. Je suis certain que, si l'on nous avait accordé un délai suffisant, nous aurions pu trouver la tombe. Elle est là-bas. J'en suis sûr !

Il se lança aussitôt dans un exposé relativement confus où il était question d'un poison qui aurait causé la mort du conquérant grec au cours d'un banquet à Babylone, du rapatriement de sa dépouille, des prêtres d'Amon qui régnaient sur l'oasis de Siwa. Et conclut :

— Je sais que c'est là que quelqu'un retrouvera un jour le sarcophage.

Lucas fit observer :

— Beaucoup pensent au contraire que sa dépouille n'a jamais quitté Babylone.

— Faux ! L'historien latin Quinte-Curce nous rapporte minute par minute l'agonie d'Alexandre et il écrit entre autres choses : « *Cependant ceux qui entouraient le lit trahissaient leur chagrin. Il enleva de son doigt sa bague qu'il remit à Perdiccas, en ajoutant la recommandation de faire porter son corps auprès de Jupiter Amon.* » Jamais les généraux n'auraient trahi ses dernières volontés. Amon régnait sur l'oasis de Siwa. N'oubliez pas que c'est là que les oracles ont confirmé la nature divine d'Alexandre, et qu'ils l'ont déclaré « fils d'Amon ».

Le retour du serveur le força à s'interrompre. Lucas en profita aussitôt pour détourner la conversation.

— À part ta passion alexandrine, que deviens-tu ?

— Je vis. Je survis. J'écris des poèmes. Je suis le Cavafy[61] des temps modernes, mais personne ne le sait !

Il désigna Judith.

— Tu ne m'as toujours pas présenté cette charmante dame...

— Judith Faber. Elle fut l'une de mes élèves.

Artine afficha une expression exagérément admirative.

— Une égyptologue ? Mais elle est toute jeune. Quel âge avez-vous ?

— J'ai vingt-neuf ans, monsieur.

— Une enfant, rétorqua l'Arménien.

Il marqua une courte pause et s'enquit :

— Et sur quoi travaillez-vous en ce moment ?

La jeune femme adopta une moue évasive :

— Sur Akhenaton.

— Akhenaton ?

Le visage de Sarafian s'enfiévra d'un seul coup. Il s'écria :

— Moïse !

— Je vous demande pardon ?

— Moïse ! répéta-t-il. Ne me dites pas que vous ignorez qu'il fut un disciple d'Akhenaton ? Il se pourrait même que le pharaon et lui ne furent qu'une seule et même personne.

Philippe Lucas grommela :

— Ça y est ! Le voilà reparti dans ses élucubrations.

— Élucubrations ? Il faudrait être aveugle pour ne pas voir le lien entre les deux hommes. D'ailleurs, le nom de Moïse en soi est bien la preuve que le personnage était purement égyptien.

— Que voulez-vous dire ? demanda Judith.

— Selon la tradition, la princesse égyptienne qui l'a trouvé dans son berceau de papyrus aurait opté pour le nom de Moshe parce qu'elle l'avait « tiré des eaux ». En hébreu, *meshiti* signifie « eaux ». Cette spéculation est risible, car elle sous-entendrait que la fille de Pharaon maîtrisait suffisamment l'étymologie hébraïque pour savoir conjuguer le verbe – rare – *mashah*, qui veut dire « retirer », ou encore *meshîtîbu*, « je l'ai tiré ». Par ailleurs, si l'enfant s'appelait « Celui qui a été tiré des eaux », son nom hébreu aurait dû être Mashui, conformément à la forme du participe passé.

— Et alors ?

— Alors, ce n'est pas Moshe qu'il faut lire, mais Mosis, dérivé du mot *mose* qui veut dire « fils de », ou « enfant de » en ancien égyptien. C'était un terme on ne peut plus répandu.

Lucas haussa les épaules.

— Mais, mon cher, c'est la théorie du docteur Freud que tu nous déballes ici !

— Bien sûr. Et j'y adhère. Moïse était très certainement un Égyptien d'origine aristocratique, transformé par la suite en un Israélite, pour mieux souligner l'idée d'ascension sociale indissociable du mythe du héros. D'un côté, vous avez l'invention du dieu unique, seul principe de la création du monde, qui n'a point besoin de statues pour être représenté et qui s'est révélé à une personne choisie par ce dieu : Akhenaton. De l'autre, Moïse qui professe exactement les mêmes principes.

Il se hâta de préciser :

— N'êtes-vous pas intrigué de constater que, au moment même où disparaît Akhenaton et où renaît en Égypte le polythéisme, un petit peuple d'esclaves juifs dirigés par un prophète inspiré proclame sa croyance en un dieu unique ? Après tout, vous, les égyptologues, ne savez rien de ce qu'il est advenu du pharaon au bout de ses dix-sept ans de règne. Je veux dire : rien qui soit scientifiquement et définitivement prouvé. Alors en quoi la théorie serait-elle si absurde ?

Lucas se mit à rire.

— Même Freud n'a pas osé aller si loin ! De plus, tous les spécialistes te le diront, pour défendre sa thèse, il s'est empêtré dans un fatras de contradictions.

— Laisse tomber Freud ! Le scénario est d'une logique implacable. Écoute-moi. Nous sommes aux alentours du XVe siècle avant notre ère. Les choses vont mal. Les prêtres d'Amon se font de plus en plus menaçants. Ils sont soutenus par des opposants aux transformations imposées par le pharaon. Que fait Akhenaton ? Sentant le pouvoir lui échapper, il décide d'aller poursuivre son rêve ailleurs et entraîne à sa suite des fidèles d'Aton qui ne souhaitent plus revenir au polythéisme et qui rêvent de quitter l'Égypte : les Hébreux. Ce qui expliquerait nombre de similarités entre les coutumes juives et les coutumes égyptiennes, telle la circoncision. Le rite de la circoncision n'était connu d'aucun peuple asiatique, ni des Babyloniens ni des Sumériens. Cette opération n'était pratiquée qu'en Égypte, très probablement pour des raisons d'hygiène. Pourquoi diable Moïse aurait-il adopté un rite typiquement égyptien alors qu'il était supposé haïr ses oppresseurs ?

— Vous avez certainement une réponse, lança Judith avec amusement.

— Parfaitement. Si Moïse a agi de la sorte, *c'est parce qu'il était égyptien*, et sa religion totalement inspirée de celle d'Aton.

Philippe Lucas prit le temps de mordre dans l'un des petits pains ronds et chauds, qu'un serveur avait déposés sur la table, avant de faire remarquer :

— Ne t'en déplaise, ami Artine. Tout cela, c'est du pipeau. Voilà des années que, de façon plus ou moins sporadique, certains esprits s'amusent à relancer ce débat.

Vouloir défendre l'idée qu'Akhenaton et Moïse seraient la même personne, ou que Moïse fut influencé par la religion atonienne, c'est passer outre nombre d'arguments essentiels. *Primo* : le monothéisme d'Akhenaton se résumait à croire en une divinité unique, le soleil. Un dieu *représenté*. Or Moïse a enseigné un dieu *invisible*, au nom imprononçable, impossible à figurer. *Secundo* : si le pharaon a privilégié Aton, il n'a pas pour autant rayé de la carte certaines autres divinités. On sait par exemple qu'il fit transformer, au temple funéraire d'Amenhotep III, une figure martelée d'Amon en une représentation de Ptah, dieu tutélaire de Memphis, et n'a jamais porté atteinte au culte de ce dieu. Un relief du temple nubien d'Amada témoigne simultanément de la persécution d'Amon et de la tolérance envers Thot. Ce genre d'attitude ne se retrouve aucunement chez Moïse. Souviens-toi de la scène du veau d'or... *Tertio*, et c'est un détail de la plus grande importance : *le dieu d'Akhenaton est silencieux*. Aton ne s'est jamais exprimé. Alors que, dans le cas de Moïse, Yahvé ne cesse de faire des discours. Il en fait tant que cela donne le Pentateuque !

— Je ne vois aucun élément dans ton exposé qui s'oppose à l'idée qu'Akhenaton aurait pu être Moïse.

— Si ce n'est pas de l'entêtement, je n'y connais rien ! Tu fais fi de la rigueur la plus élémentaire ! Je poursuis donc. D'après l'Ancien Testament, il se serait écoulé quatre cent vingt ans entre la sortie d'Égypte des Hébreux et la construction du temple de Salomon à Jérusalem. Cette construction – selon la plupart des historiens – se situe autour de 980 avant J.-C. Ce qui place l'Exode vers 1400. Or la religion atonienne est apparue un siècle plus tard ! Pas plus Moïse que les Hébreux présents en Égypte n'auraient pu connaître Akhenaton. Tu vois bien que tes hypothèses ne tiennent pas la route !

Lucas enchaîna très vite sur une question :

— Si Moïse n'était autre qu'Akhenaton, pourquoi aurait-il déclaré que son Dieu n'avait pas de nom ?

— La réponse est évidente : de peur qu'on ne le retrouve. Il a voulu se protéger en décidant d'adopter le nom d'une divinité – Yahvé – qui était vénérée sur les hauteurs du pays de Madian [62].

— C'est totalement absurde ! Allons, ami Artine, un peu de raison. Du rationnel avant toute chose.

L'Arménien se leva, la mine renfrognée, et répliqua en relevant le menton :

— Mon cher ! Je me contenterai de te répondre ceci : dans l'existence, ni le réel n'est entièrement rationnel, ni le rationnel tout à fait réel.

Il s'inclina vers Judith.

— Adieu, madame. Je vous admire de supporter un tel compagnon...

Il décocha un clin d'œil en direction de l'égyptologue et tourna les talons.

— Étrange personnage, observa Judith.

— Un original. Gentil, mais original tout de même.

Lucas servit à la jeune femme un verre de bière en poursuivant :

— Et, maintenant, je propose que nous laissions tomber nos débats pour ce soir. L'air est doux, la lune est pleine. Ça sent le jasmin. Ce pain est un véritable délice, et, à la vue de ces pigeons grillés qui s'avancent, je me pourlèche les babines... Vous voulez bien ?

Anoukis à Keper

Ami, je viens de vivre un moment éprouvant. Ankheri, ma tendre épouse, m'a surpris en train de t'écrire. Elle m'a, bien entendu, demandé :

— Qu'est-ce que tu gribouilles encore ? Tu écris un roman ?

— Quelle idée ! Qui oserait se risquer à ce genre d'exercice après l'admirable conte de Sinouhé. Tu l'as lu, n'est-ce pas ?

Elle a répondu :

— N'est-ce pas l'histoire de ce bonhomme qui aurait involontairement surpris un secret d'État lors d'une campagne de notre armée en Libye, obligé de fuir en Syrie et vivant là-bas mille et une aventures ?

— Parfaitement ! Une pure merveille [63]. Je ne me vois donc pas essayer de rivaliser avec tant de talent.

Et naturellement, curieuse comme elle est, elle a insisté :

— Alors ? À qui écris-tu ?

— À Keper. Mon ami. Tu te souviens de lui ?

Pardonne-moi si je te relate mot pour mot sa réponse. J'ose espérer que tu ne m'en tiendras pas rigueur. Elle m'a lancé :

— Si je m'en souviens ! Un bon à rien ! Un trousseur de tunique !

Tu vois, ami, tu as une drôle de réputation. Je me suis empressé de venir à ton secours et je lui ai rappelé :

— Il a quand même été scribe royal, ma sœur.

— Le bel exemple ! Depuis quand être scribe est synonyme d'intégrité et de bonnes mœurs ?

Alors elle s'est emparée vivement de mes écrits, les examina et poussa un cri de colère :

— Quoi ? Par Horus et par tous les dieux d'ici et d'ailleurs, aurais-tu perdu la tête ? Écrire sur « Celui dont le nom ne se prononce pas » ? Veux-tu nous faire tuer ? As-tu oublié que Horemheb ne te porte pas dans son cœur ? Qu'il attend qu'une plume fasse de l'ombre à sa vue pour t'en faire payer le prix ?

Tu me connais. J'ai répliqué avec dédain :

— Je n'ai que faire de Horemheb ! Qu'il crève ! Que ses os pourrissent dans le désert !

— Et moi ? As-tu songé à ce que je deviendrais si c'étaient tes os qui venaient à pourrir ? De quoi vivrais-je ? Qui subviendrait à mes besoins ?

C'est là que les choses se sont envenimées. Elle m'a fait une scène épouvantable, puis elle a éclaté en sanglots. Comme je tentai de la raisonner, elle s'est littéralement jetée à mes pieds en gémissant :

— Ne me fais pas ça, mon frère, je t'en conjure ! Pense à moi. Pense à nous. Jette tout cela au feu.

J'ai passé le restant de la soirée à la consoler et à la rassurer. Si je te raconte cette scène, c'est pour te dire à quel point ceux qui, comme nous, furent fidèles à Akhenaton connaissent des heures difficiles. Plus de dix ans après, ce sont encore les mêmes peurs qui demeurent.

Mais revenons à nous.

Je n'attends pas la réponse à mon précédent courrier pour poursuivre ma rédaction. Le désir me taraude de coucher au plus vite tous mes souvenirs sur ces papyrus avant que... Mais de quoi ai-je le plus peur ? Des hommes de Horemheb ? D'un arrêt brutal de ma vie ? De la maladie ou d'une mutinerie de mon cerveau qui m'empêcherait d'y voir clair ? Ce sont toutes ces peurs réunies qui m'incitent à ne plus perdre de temps...

Nous étions donc aux premières saisons d'Akhetaton. Un an plus tard, au début de la sixième année de son règne, nous retournâmes inspecter les lieux. Je fus stupéfait de constater à quelle vitesse la ville avait surgi des sables. Par contre, le palais n'était pas encore achevé, et le pharaon fut contraint de s'installer sous une tente faite de joncs tressés. Il nomma cet abri de fortune : « Aton est satisfait ». Vers le milieu de cet après-midi, il prit place sur son char d'électrum[64] semblable à Aton et, nous entraînant dans son sillage, il remonta l'avenue principale qui avait été tracée d'est en ouest[65], puis il s'immobilisa tout au bout et s'adressa aux membres de la cour rassemblés. Du discours qu'il prononça je n'ai retenu que ceci : « Voyez ! C'est Aton qui a voulu cette ville afin que l'on y commémore son nom. C'est Aton, mon père, qui la gouvernera et non quelque fonctionnaire ! »

Le discours achevé, il décida de faire le tour du territoire afin de vérifier l'état des stèles frontières. Ainsi qu'il l'avait ordonné, ces stèles avaient été disposées en des endroits stratégiques : onze dans les falaises calcaires de la rive orientale, trois sur la rive occidentale. Au retour de son inspection, il se tourna vers nous et déclara d'une voix solennelle :

« Comme mon père vit, Rê-Horakhty qui se réjouit dans la contrée de lumière en son nom de Chou qui est

Aton, qui donne la vie à jamais, ainsi mon cœur se réjouit à cause de la Grande Épouse royale et de ses enfants. Le grand âge sera accordé à la Grande Épouse royale, Nefer-Neferou-Aton-Néfertiti, vivant à jamais, en ces millions d'années, alors qu'elle est sous la protection de Pharaon ; le grand âge sera accordé aux princesses Meritaton et Maketaton, ses enfants, sous la protection de la reine, leur mère. Cela est mon serment, en vérité, que mon cœur prononce et que je ne trahirai jamais. La stèle du sud qui est sur la montagne de l'est d'Akhetaton, c'est la stèle d'Akhetaton que j'établirai à sa place. Je n'outrepasserai jamais cette limite sud. La stèle sud-ouest a été faite pour lui faire face sur la montagne sud d'Akhetaton, directement à l'opposé. La stèle du milieu qui est sur la montagne de l'est, c'est la stèle d'Akhetaton, que j'établirai à sa place sur la montagne du levant d'Akhetaton. Je n'outrepasserai jamais cette limite. La stèle du milieu qui est sur la montagne ouest d'Akhetaton a été faite pour lui faire face, directement à l'opposé.

« La stèle nord d'Akhetaton, je l'établirai à sa place. Je n'outrepasserai jamais cette limite nord.

« Maintenant, à l'intérieur de ces quatre stèles, de la montagne de l'est à la montagne d'occident, se trouve Akhetaton elle-même. Elle appartient à mon père, Rê-Horakhty, qui se réjouit dans la contrée de lumière en son nom de Chou qui est Aton, qui donne la vie à jamais, avec les montagnes, les déserts, les plaines, les terres nouvelles, les hautes terres, les champs, l'eau, les rives, la population, le bétail, les arbres et toutes autres choses que mon père fera être à jamais.

« Je ne trahirai jamais ce serment que j'ai fait à Aton, mon père. Il durera sur la stèle de pierre de la frontière sud-ouest et à la frontière nord-ouest d'Akhetaton. Il ne sera pas détruit. Il ne sera pas effacé. Il ne sera pas martelé. Il ne sera pas recouvert de plâtre. Il ne disparaîtra pas. S'il disparaissait, s'il était anéanti, si la stèle sur laquelle il est inscrit tombait, je le renouvellerais à l'endroit où il doit être. »

Le roi nous jura de ne jamais briser ce serment. La cité du soleil ne sortirait pas des bornes fixées par lui. Les limites de la ville seraient définitives. Aton l'exigeait.

C'est aussi à cette époque que l'on commença à bâtir les sépultures royales et les tombes privées, entre autres celles d'Ay et de Dame Ti.

Vers la fin de cette année, un stade décisif fut atteint dans la réalisation des projets et des desseins du roi. L'essentiel de la cité fut mis en place et son centre administratif édifié en grande partie. L'idéal, pour que tu comprennes à quoi ressemblait cette ville, eût été que j'en esquisse un dessin. Je vais essayer. Mais j'implore par avance ton indulgence : je suis un piètre artiste.

Regarde bien... La zone urbaine est située sur la rive droite du fleuve, dans ce vaste lieu désertique que j'ai décrit dans ma précédente lettre. Comme tu peux le vérifier, la ville n'occupe qu'une faible partie du territoire délimité par les stèles frontières. La grande porte du nord ouvre l'accès à trois artères principales et parallèles : la route royale qui borde le Nil, la route du grand prêtre et la route des ouvriers, celle qui longe les falaises.

Il y a trois quartiers principaux : le quartier central, et ceux du nord et du sud. Au nord, tu peux apercevoir le grand temple, et le petit temple, le *Per-Aton*, ou « maison d'Aton ». Surnom impropre, car en vérité ce « petit temple » était presque aussi grand que le *Gempaaton* érigé à Thèbes. À l'intérieur de son mur d'enceinte, les

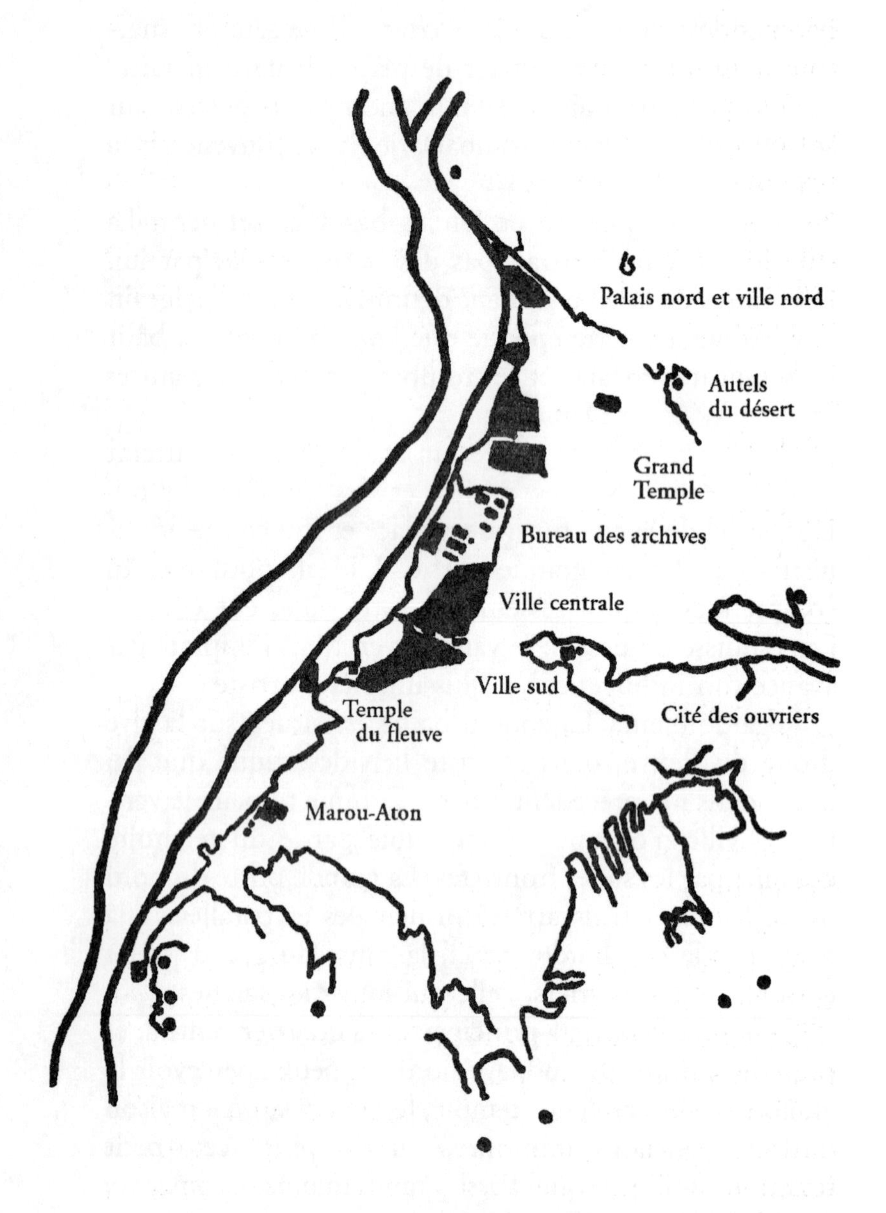
Palais nord et ville nord
Autels
du désert
Grand
Temple
Bureau des archives
Ville centrale
Ville sud
Cité des ouvriers
Temple
du fleuve
Marou-Aton

bâtiments étaient disposés selon un plan établi par le souverain lui-même.

Pour parvenir au cœur du temple, Néfertiti devait traverser une succession de cours et de pylônes, tous dépourvus de toit, tous orientés vers l'est ; ce qui permettait au soleil de déverser ses rayons en abondance. Après avoir franchi la grande porte, la reine arrivait dans une immense salle hypostyle : le *Gempaaton*. De part et d'autre se trouvait une *Per-hai*, une « maison des Réjouissances ».

De là, la reine devait encore parcourir une grande distance avant d'atteindre le cœur du sanctuaire où l'attendait une vue admirable : à gauche et à droite de la route sacrée se découpaient trois cent soixante-cinq autels de briques crues, un pour chaque jour de l'année. Tout au bout, on pouvait apercevoir une autre salle hypostyle gigantesque. Entre les colonnes monumentales, dont le sommet formait un faisceau de papyrus, se dressaient quatre statues du pharaon.

Au nord du sanctuaire, encastré dans le gigantesque mur d'enceinte du Temple, se trouvait le pavillon dans lequel Néfertiti et Akhenaton accueillaient les tributs des pays étrangers.

Un peu plus loin, vers l'est, s'étendait la rue du Grand Prêtre, bordée de villas élégantes, les demeures des riches et des fonctionnaires. Les travaux de construction d'Akhetaton avaient commencé dans la partie sud de cette rue. C'est là également que se trouvaient la maison d'habitation et les ateliers du grand maître sculpteur Djehoutymes dont nous reparlerons.

Plus la ville croissait, plus la foule accourait à Akhetaton. Négociants, artisans et petits employés de la fonction publique s'établirent dans le faubourg du nord, et, exception faite de la somptueuse résidence que Hatay, le contrôleur des travaux, se fit construire, on n'y comptait que de modestes maisons. Un canal avait été creusé pour le transport du blé et du seigle.

On bâtit aussi le *Hout-benben* ou « demeure de la pierre-*benben* » à l'extrémité d'une avenue de sphinx qui le protégeait des influences hostiles. Le lieu, consacré aux offrandes, consistait en un podium surélevé comportant une rampe et une balustrade ; il était situé devant une grande stèle de quartzite, à côté d'une statue assise du roi, de taille colossale. La pierre-*benben* n'était plus représentée par un obélisque mais par une grande plaque isolée, sculptée elle aussi dans le quartzite. Cette zone du nord comprenait également un petit sanctuaire, d'innombrables jardins dont ceux des oiseaux et des animaux exotiques.

La voie royale reliait tous ces bâtiments officiels ainsi que les zones résidentielles. Lieu de passage des cortèges royaux, elle partait du nord, à hauteur du palais, descendait en droite ligne vers le cœur de la ville. Elle desservait les monuments et s'achevait au niveau du petit temple d'Aton. Perpendiculaire au fleuve, une passerelle l'enjambait et permettait la jonction entre le palais, situé sur une éminence, la maison des finances, le bureau des archives [66] et la zone ouest, à droite de la passerelle.

Le palais du Nord était réservé à Meritaton, l'aînée des filles royales. Organisé autour d'un vaste bassin, l'ensemble comprenait une cour à ciel ouvert ornée d'autels qui servaient à l'adoration d'Aton, une pièce équipée d'un dais qui faisait office de salle du trône, et des appartements privés, dont une salle d'hygiène. Il y avait aussi une volière et des enclos pourvus de mangeoires en pierre. La chambre de la princesse était décorée d'une magnifique peinture représentant un fourré de papyrus peuplé d'oiseaux sauvages. Une pure merveille.

La zone centrale se prolongeait sur son côté oriental avec le palais d'Aton et les magasins de briques crues qui y étaient associés. La zone méridionale, en grande partie résidentielle, accueillait les grands domaines de fonctionnaires comme Parennefer et moi-même.

La Maison du Roi comportait des appartements privés ainsi qu'un jardin intérieur, une suite indépendante, composée de six petites pièces, avec dans chacune une niche destinée à abriter un lit. Le quartier sud regroupait les maisons les plus luxueuses d'Amarna, dont la tienne, mon ami Keper, et celle du vizir Nakht. Si ta demeure était sublime, celle du vizir, reconnaissons-le, l'était encore plus : cuisines, magasins, dépendances, appartements réservés aux domestiques, enclos destinés aux animaux, étables, chapelle privée et un jardin clos dont les plantes, enracinées dans la boue fertile du Nil, étaient arrosées avec l'eau tirée d'un puits privé. S'il me souvient bien, le rez-de-chaussée ne comptait pas moins d'une trentaine de salles. Une dizaine de chambres étaient alignées au second étage où vivaient les enfants et les serviteurs de la famille. Magnifique demeure, tu l'admettras.

À l'est enfin, dans une étroite vallée creusée dans les falaises, se trouvait le village des ouvriers. Les hommes y vivaient en compagnie de leurs épouses et de leurs enfants. Le responsable de la main-d'œuvre y possédait une maison plus grande et plus raffinée que les autres. Contrairement à la ville, au plan irrégulier, le village était très ordonné, protégé par un mur. Chaque ouvrier se voyait accorder un logis de seulement dix coudées sur vingt. Plus d'une soixantaine de maisons se répartissaient en six rangées, séparées par cinq ruelles. Seuls les murs étaient montés lorsque chaque famille entrait dans les lieux, et les habitants se chargeaient d'achever les travaux au moyen de briques de boue séchée. Hors de l'enceinte du village, les familles édifiaient de petites chapelles privées, où elles pouvaient non seulement prier, mais aussi se reposer et prendre un repas.

Rappelle-toi qu'à Akhetaton la plupart des habitants occupaient des maisonnettes pressées les unes contre les autres, construites en brique ou en pisé, la pierre – mais tu l'as peut-être appris – étant réservée aux demeures des dieux et des morts. Ma maison – bien que loin d'être aussi admirable que la tienne, mon ami – se divisait en trois sections : des pièces de réception et un grand salon dont le plafond était soutenu par des colonnes de bois polychrome ; des salles de séjour, également groupées autour d'un salon qui comportait une large banquette de brique faisant office de divan ; et enfin, à l'arrière, mes appartements privés composés de quatre chambres, d'une salle de repos, d'un cabinet d'aisance pourvu d'un siège percé en calcaire posé sur deux caissons de brique emplis de sable. Pour mes ablutions – ô combien indispensables à tout Égyptien –, je disposais d'une vaste pièce au sol dallé et d'un muret derrière lequel je me plaçais afin que mon serviteur puisse me verser de l'eau sans pour autant découvrir ma nudité ou celle de mon épouse. Tous les murs étaient enduits de crépi d'un blanc éclatant sur lequel j'avais fait poser des frises ornées de bouquets de lotus. Hélas, aujourd'hui, tout cela est en ruine, et le sable du désert sommeille sur les lits et les banquettes. Mon jardin est sec, et plus une fleur n'y pousse.

La cité de l'Horizon s'étendait ainsi de la stèle sud à la stèle nord de la montagne orientale d'Akhetaton, et de la stèle sud-ouest d'Akhetaton à la stèle nord-ouest de la montagne occidentale, sur une distance de six *itérou*[67], trois quarts de *khet* et quatre coudées.

C'est vers la fin de cette sixième année que nous quittâmes Thèbes pour nous installer à Akhetaton. Lors de ce transfert, il ne se produisit ni grogne ni mouvement de protestation, et encore moins de révolte. Jour après jour, on vit la cour, les fonctionnaires et leur famille, suivre avec docilité le pharaon dans son exil.

Une cité s'étalait sous nos yeux. Une cité née dans l'esprit d'un jeune homme que tous avaient jugé fragile et incertain, une cité noble avec ses jardins, ses monuments, ses temples ouverts sur l'azur.

Comme tu peux le constater, mon frère, le rêve d'un seul était devenu la réalité de tous. Belle prouesse, ne trouves-tu pas ?

Keper à Anoukis

Belle prouesse, en effet. Mais permets-moi de te faire observer que les choses n'étaient pas aussi roses que tu voudrais le laisser croire. Le feu couvait. La rage des chiens grandissait. J'ai entendu leurs aboiements dans les alcôves enténébrées des temples de Thèbes. Cassé le pouvoir des prêtres d'Amon ! Relégués au second rang les bouffeurs de jonc ! Crois-tu qu'ils vécurent ces bouleversements sans sourciller ? Impavides ? Résignés ? Non, ami. Ils digéraient très mal de voir leurs intérêts floués, de constater que les principales richesses se détournaient de leurs escarcelles pour tomber dans les coffres d'Aton. N'oublie pas : qui touche au centre économique d'un pays touche aux privilèges des puissants. Or, tu le sais mieux que moi, Karnak était ce centre. Si ses richesses appartenaient bien au pharaon, c'était tout de même le clergé qui les gérait. Avec la naissance d'une nouvelle capitale, le contrôle leur échappait. Comment donc n'auraient-ils pas fulminé, rêvé de complots ? Je fus plus d'une fois informé de ce qui se tramait. Lorsque je m'en ouvris au pharaon, il en fut terriblement blessé, et sa blessure – nous en avons été les témoins – se métamorphosa en fureur.

Mais, avant la fureur, à l'orée de la huitième année, le pharaon manifesta la volonté de renouveler le serment qu'il avait prêté deux ans plus tôt. T'es-tu jamais demandé pourquoi ? Parce que, face à la tension grandissante qu'il percevait au-delà des murs d'Akhetaton, il voulut affirmer haut et fort à la face de tous que rien, ni personne, aucune force au monde ne le ferait battre en retraite ni ne remettrait en cause sa foi. C'est un message qu'il adressait à tous ceux qui auraient voulu l'influencer par des mots ou par la force. Oui, ne sursaute pas, j'ai bien écrit « par la force ». Après tout, quelques généraux velléitaires fâcheusement inspirés par les prêtres d'Amon auraient très bien pu se risquer à commettre l'impensable.

Dans un ordre d'idée bien différent, pourrais-tu écrire un mot à Narmer, mon fils ? À trente ans, voilà qu'il vient de décider d'abandonner le métier de scribe ! Et pour faire quoi ? Ouvre grand tes oreilles : il veut se lancer dans l'orfèvrerie. Quel sacrilège ! Autant se faire sculpteur de bois. Tu te souviens des propos de ce poète qui écrivait : *« Jamais je n'ai vu un sculpteur en ambassade, ni un fondeur chargé de mission ; mais j'ai toujours vu le forgeron à son travail à la gueule du four. Ses doigts sont comme la peau du crocodile. Il pue, plus que les œufs de poissons ! »* Nous savons toi et moi qu'aucun métier ne retient notre estime sinon celui de scribe et de médecin. Et comment passer outre la manière dont l'or est extrait des mines ? Travailler cet or, c'est en même temps tremper ses mains dans le sang. Imagine ces prisonniers œuvrant dans les mines de Coptos ou de Nubie, ces milliers de pauvres hères écrasés par la chaleur de mille soleils, enchaînés, sans vêtements, surveillés par des soldats qui ignorent tout de leur langue, avec le bâton des surveillants pressant même les malades, les femmes et les vieillards au travail ! La mort est leur seul et unique souhait : en finir ! Quand je pense que mon fils aspire à travailler ce métal issu de la chair des morts, il me prend l'envie de le renier. Et comment ne songerais-je pas à la condition qui sera la sienne s'il décidait de mettre ses projets à exécution ? J'étais présent lorsque le chef des arts se présenta un jour devant ce saligaud de Pouyemrê, lequel – je te le rappelle – était alors deuxième prophète d'Amon et directeur général des travaux du temple. Il se contenta de poser un œil torve sur les paniers d'offrandes emplis de bracelets et de colliers que les artisans avaient conçus à force de sueur. Son subalterne – dont j'ai oublié le nom – susurrait sur un ton plein de miel : « Ô Pouyemrê, ton cœur est heureux de ce qui t'arrive. » Mais Pouyemrê n'eut pas une bonne parole, pas un mot d'encouragement pour le travail accompli. Quelle injustice pour les sculpteurs, les graveurs, les malheureux artistes. Anonymes ils vivent, anonymes ils s'éteindront. Et c'est ce piètre sort que mon fils voudrait connaître ? Dis-moi, dis-moi qu'il n'a plus sa raison !

Anoukis à Keper

Du calme ! Tu t'emportes comme un vieillard sénile ! Vivre et laisser vivre. Ton fils a trente ans ! Tu ne l'as pas enfanté pour *toi*, pour qu'il vive *ta vie* selon *tes* conceptions. Il s'est découvert des dons d'artiste ? Soit. Laisse-le libre de suivre le chemin que son cœur lui inspire. Et puis, sois gentil, arrête de verser des larmes sur les travailleurs de Nubie ou d'ailleurs ! Je n'en crois pas un mot. Que dire alors de ces milliers d'hommes que nous employons depuis de nombreuses saisons pour soulever nos pierres et ériger nos temples et nos monuments ? Comme à l'accoutumée, tu fais preuve d'une mauvaise foi accablante. Certains de nos artistes ont connu la considération de leurs maîtres : rappelle-toi quelle estime le pharaon et surtout Néfertiti avaient pour Djehoutymes, ce grand sculpteur. La reine, qui lui vouait une admiration sans bornes, le combla de présents, et, grâce à elle, il connut une existence des plus heureuses.

Allons. Reviens à la raison, et tends la main à ton fils.

Tout à ma description de la cité nouvelle, j'ai négligé de rapporter les bruissements de couloir et les voix funestes. Nul doute que les graves événements qui se dérouleront en l'an IX prirent racine dans l'attitude du clergé d'Amon. Mais n'anticipons pas...

Nous sommes dans la huitième année.

Un quatrième enfant de Néfertiti et du souverain vient de naître. Une fille, encore une. On l'appela Nefer-Neferou-Aton, du même nom que la reine. Et Tiyi brisa, paraît-il, un autre vase. Mais il y eut peut-être plus important que cette naissance.

Je m'en souviens comme si c'était hier. « Celui que j'aimais » se trouvait alors au *Marou-Aton*, entre fleuve et désert. C'est là que, sur son ordre, je le rejoignis. Il me salua d'un sourire ému. Son expression était lumineuse. Ses traits que d'aucuns jugeaient disgracieux avaient disparu comme par enchantement. Il avait le visage lisse, et la jeunesse y brûlait, triomphante. Il était assis sur un bloc de calcaire et tenait une feuille de papyrus. Il m'invita à m'asseoir près de lui et dit :

— Écoute... Écoute les mots inspirés par mon dieu.

Je n'ai rien gardé en mémoire, mais, en revanche, les propos du pharaon ont été reproduits sur son ordre et gravés en treize colonnes sur l'embrasure ouest de la porte du tombeau du divin père, Ay[68]. Je t'en livre l'essentiel :

> *« Tu apparais, merveilleux, à l'horizon, ô Disque solaire vivant, origine de la vie. Dès que tu te lèves à l'horizon de l'Est, tu remplis la terre entière de tes splendeurs. Tes rayons enveloppent les terres jusqu'à la limite de tout ce que tu as créé.*
>
> *« Bien que tu sois présent à leurs yeux, les hommes ne connaissent pas ton chemin.*
>
> *« Lorsque tu te couches, la terre sombre dans l'obscurité et semble comme morte. Les hommes*

dorment dans leur chambre la tête recouverte, et pas un œil ne peut en voir un autre. On pourrait leur voler tous leurs biens, qu'ils cachent sous leur tête, sans qu'ils s'en aperçoivent. Les lions et les reptiles sortent de leurs repaires. La terre est plongée dans le silence, car son créateur se repose en son horizon.

« Puis la terre s'éclaircit lorsque tu te lèves à l'horizon. Tu rayonnes pendant le jour. Tu chasses les ténèbres et tu dispenses tes rayons. Les Deux Terres sont en fête chaque jour. Les hommes s'éveillent et se tiennent sur leurs pieds, car tu les as fait se lever. Arbres et herbages verdissent. Les oiseaux s'envolent de leurs nids, déployant leurs ailes comme des gestes d'adoration à ton énergie vitale. Toutes les bêtes sauvages se mettent à avancer sur leurs pattes. Tout ce qui s'envole et tout ce qui se pose se met à vivre lorsque tu te lèves pour eux. Les bateaux, eux aussi, descendent et remontent le courant. Tout chemin s'ouvre lorsque tu te lèves. Les animaux cabriolent dans la prairie. Les poissons, par-dessus le fleuve, se mettent à sauter vers ta face et sautent hors de l'eau pour te saluer.

« Tes rayons pénètrent au sein de la Verte Profondeur, ils assurent l'évolution du fœtus chez les femmes et produisent la semence chez les hommes. Ils font vivre le fils dans le sein de sa mère, et apaisent ses pleurs. C'est une nourrice à l'intérieur même de la matrice, donnant le souffle pour procurer la vie à toute créature.

« Lorsqu'il descend de l'utérus pour respirer le jour de sa naissance, tu lui ouvres grand la

bouche, et tu pourvois à ses besoins. Alors que le poussin est encore dans l'œuf, pépiant dans sa coquille, tu lui donnes le souffle, à l'intérieur, pour le faire vivre. Lorsque tu l'as complètement formé dans l'œuf, pour qu'il puisse le briser, il sort de l'œuf pour pépier, après le délai prévu. Il marche sur ses pattes dès qu'il en est sorti. Combien multiples sont tes créations, même si elles sont cachées à nos yeux.

« Ô Dieu unique, sans égal.

« Tu as façonné la terre selon ton cœur, ainsi que les hommes, les troupeaux, toutes les bêtes sauvages, et tout ce qui vit sur terre et tout ce qui est dans les hauteurs. Tu as façonné les pays de Syrie et de Nubie, ainsi que la terre d'Égypte.

« Tu as créé un Nil dans le monde inférieur et tu as fait surgir le Nil selon ton désir, pour abreuver les hommes d'Égypte selon le mode de vie conçu pour eux, car tu es leur maître absolu. [...]

« Tu es dans mon cœur, et il n'est personne d'autre qui te connaisse excepté ton fils Neferkheperourê-Ouâenrê, car tu l'as informé de tes plans et de ta puissance.

« La terre vient à l'existence en ta main, telle que tu la crées. Tu te lèves les hommes vivent. Tu te couches, ils meurent. Tu es la durée même de la vie, et l'on vit de toi. Les yeux sans cesse contemplent tes splendeurs jusqu'à ton coucher. [...] »

Sa lecture achevée, le pharaon posa ses yeux sur moi.

— Comprends-tu, maintenant, ce que je portais, ce que je porte en moi ?

Je hochai la tête, totalement bouleversé. Le Nil, le désert, ma vie, mes croyances... Tout se mélangeait dans le tourbillon que cet hymne venait de faire naître dans mon ventre et dans mon cœur. Jamais, de toute ma vie, je n'avais entendu quelque chose d'aussi émouvant. Un dieu. Un dieu unique. Un dieu créateur, sans violence. Sans châtiment. Un dieu de lumière.

Je demandai au pharaon :

— Que va-t-il advenir des autres dieux ?

— Il n'existe pas de plus grand dieu qu'Aton.

J'hésitais, un peu embarrassé.

— Pour toi, mon seigneur. Mais il n'en est pas de même pour ton peuple.

Il me coupa :

— Je n'ai aucune intention d'imposer ma foi, ni par la violence, ni par la contrainte. Avec le temps, ma foi s'imposera d'elle-même. Je place mon espoir dans la jeunesse. C'est d'elle que jaillira le printemps du monde. Jour après jour, le rayonnement d'Aton débordera des entrailles de la cité pour recouvrir toute l'Égypte et le monde. Demain. Plus tard. L'heure viendra où tous les prétendus dieux disparaîtront, et seul Aton demeurera.

« *Tu es la durée même de la vie, et l'on vit de toi.* »

Tu vois, ami Keper, les années ont passé. Mes cheveux – bien rares – ont blanchi, mais cette phrase, je l'entends toujours. Elle ne m'a jamais quitté. J'ose l'avouer, maintenant que je sais qu'aucun abîme ne me guettera après ma mort : mon pharaon était la durée même de ma vie. Je vivais de lui.

À plus tard. Mes yeux se mouillent, et je crains que mon épouse ne me surprenne...

Le Caire

Lucas commenta avec un demi-sourire :

— Si je ne savais pas que cette correspondance est un faux, je l'aurais trouvée émouvante.

— Reste à prouver qu'il s'agit d'un faux...

Judith pointa son doigt sur l'un des passages.

— Je repense tout à coup à votre ami arménien et à ses théories. En relisant cet hymne, comment ne pas songer au psaume 104 ?

Elle pianota sur le clavier de l'ordinateur et fit apparaître un texte.

— Je m'étais déjà intéressée au sujet. J'avais extrait les passages qui me paraissaient les plus en adéquation avec l'hymne.

Elle posa de nouveau son doigt sur l'écran :

— Regardez.

« Versets 20 et 24

« Fais-tu arriver les ténèbres et la nuit vient-elle
Alors se mettent en mouvement toutes les bêtes
de la forêt,
Les lions rugissent après leur proie,

Et demandent à Dieu leur nourriture ;
Dès que le soleil se lève, ils se retirent,
Et vont s'étendre dans leur tanière ;
L'homme sort alors pour sa tâche
Et pour son travail jusqu'au soir.
Ô Yahvé, que tes œuvres sont variées, Toutes sont faites avec sagesse.
La terre est pleine des richesses que tu as créées...

« Versets 27 à 30

Et tous se tournent vers toi, espérant
Que tu leur donneras la pâture à son heure ;
Dès que tu la leur envoies, ils la recueillent,
Dès que tu ouvres la main,
Ils se rassasient de tes biens ;
Mais détourne ta face, tout se trouble,
Reprends-leur ton souffle, ils expirent
Et rentrent dans leur poussière ;
Laisse ton souffle revenir, ils revivent,
Et par toi, la face de la terre se voit renouvelée. »

— Vous pensez qu'il s'agit d'une coïncidence ?

— Je pense que les êtres humains n'ont jamais cessé d'être en quête de leur Créateur et qu'ils tiennent toujours plus ou moins le même langage, s'adressant aux volcans, à la foudre ou aux dieux. Je suis persuadé que si nous nous livrons à une enquête approfondie sur les textes sacrés, qu'ils soient incas, mésopotamiens, indiens, hindous ou chinois, nous retrouverons inévitablement sinon les mêmes formules, du moins le même esprit.

— Il n'en demeure pas moins que cet hymne est assez troublant. Écoutez : *« Tu es dans mon cœur, et il n'est personne informé de tes plans et de ta puissance.* » On a l'impression d'entendre Jésus nous parler de son « Père qui est dans les cieux ». Tout à coup, un homme entretient des relations privilégiées avec le Créateur. Il est son porte-parole, son porte-étendard. Il est seul à savoir ce que le commun des mortels ignore.

— C'est ce que nous pourrions appeler un « texte inspiré ». En psychanalyse, on le qualifierait d'archétype. Des mots engrangés dans la mémoire de l'humanité.

— La question qui se pose est de savoir pourquoi : pour quelle raison, quelques années après, Moïse réussira là où son prédécesseur aura échoué ?

— Parce que le contexte dans lequel Moïse va évoluer n'est pas le même. Au départ, le prophète juif n'a qu'une tribu à convertir ; Akhenaton un empire. Moïse n'a pas d'autre ennemi à affronter que le scepticisme des siens ; Akhenaton a face à lui le tout-puissant clergé d'Amon. De plus, je vous ferai observer que le dieu unique du pharaon n'a jamais irradié hors des murs de la cité solaire. Aton a vécu en autarcie dans ce périmètre désertique. Pour preuve, n'affirme-t-il pas lui-même qu'il n'outrepassera jamais les limites de sa ville ?

Judith écarta légèrement les mains en signe d'interrogation.

— C'est justement cette attitude que je ne comprends pas. Qu'est-ce qui le pousse à fixer des bornes à l'épanouissement de son dieu ? Pourquoi s'oblige-t-il à ne pas étendre Akhetaton au-delà de frontières très précises ? Ne pourrait-on imaginer qu'il appliquait de la sorte un accord secret qu'il aurait passé avec les prêtres d'Amon ?

Lucas secoua la tête avec force.

— Impossible. Le clergé thébain n'avait aucun moyen de s'opposer à la volonté du roi. Les prêtres ne formaient nullement une opposition, dans l'acception moderne du terme, qui aurait pu entraver de quelque manière que ce fût l'élargissement de la cité solaire ou l'édification de nouveaux territoires consacrés à la gloire d'Aton.

— Pourtant, nos deux épistoliers laissent clairement entendre que les prêtres de Karnak voyaient cette expérience d'un très mauvais œil. Ils parlent même de complots.

— Il existe une nuance de taille entre « comploter » et « s'opposer ». À un moment ou à un autre, le clergé a dû exprimer sa frustration, peut-être même – ce n'est pas improbable – y a-t-il eu tentative d'assassinat. Mais l'affrontement ne pouvait guère aller au-delà. Le pharaon restait maître du pays et seul décideur.

— Dans ce cas, pourquoi Akhenaton ne cherche-t-il pas à communiquer sa vision à tout le pays ?

Lucas plissa le front, perplexe.

— J'avoue humblement n'avoir pas de réponse précise. On peut imaginer qu'en adoptant cette politique il entendait poser des bornes dans l'espace et dans le temps à sa propre expérience. Une fois assuré que la greffe aurait pris dans la cité de l'Horizon, il est possible qu'il aurait été au-delà.

Il haussa les épaules en avouant :

— Je ne sais pas. Tout cela reste en attente. Il ne se passe pas un jour sans que l'on ne fasse une nouvelle découverte. Demain, dans un mois, une pièce supplémentaire viendra se glisser dans cet immense puzzle.

Keper à Anoukis

J'ai suivi tes conseils à propos de mon fils. « Vivre et laisser vivre. » N'est-ce pas ta recommandation ? Alors je lui ai fait comprendre qu'il était libre désormais de suivre ses nouvelles aspirations. Je lui ai toutefois précisé que, de mon côté, j'étais libre aussi de ne plus souhaiter entendre parler de lui. Es-tu satisfait ? La prochaine fois, ne prends pas de stupides exemples pour défendre la condition des artistes. Tu as mentionné Djehoutymes, le sculpteur. Je te cite : *« La reine, qui lui vouait une admiration sans bornes, le combla de présents et, grâce à elle, il connut une existence des plus heureuses. »* Ah ! Quel enfant tu fais ! Tu ne savais pas que ce malheureux Djehoutymes était fou amoureux de Néfertiti ? Revois un instant le buste qu'il a fait d'elle[69]. Ce n'est pas l'œuvre d'un artiste, mais celle d'un idolâtre. Il était en adoration devant l'épouse royale. Bien entendu, la reine ne lui accorda pas la moindre faveur, sinon, de temps à autre, celle de frôler son ombre. Djehoutymes se mourait chaque fois qu'elle quittait l'atelier. Tu sais comment tout cela a fini, n'est-ce pas ? Il n'a pas achevé le buste et a laissé volontairement vide l'orbite de l'œil gauche ! Ce fut sa manière à lui de se venger : nous laisser une reine borgne !

Alors, je t'en prie : ne me parle plus du bienheureux sort de certains artistes.

Quant au reste de ta lettre, pour l'heure, je ne me sens aucunement d'humeur à le commenter...

Anoukis à Keper

Décidément, tu ne changeras jamais ! Comment peux-tu te montrer si acariâtre ? Qu'aurais-tu préféré pour ton fils ? Qu'il soit laveur de pieds ? Porteur de sandales ? Allons ! S'il a envie de se lancer dans l'orfèvrerie, ne lui fais pas la guerre. C'est toi qui la perdras. N'oublie jamais que, lorsqu'un père fait la guerre à son enfant, le dieu unique se tient toujours du côté de l'enfant. Pour ce qui est du buste de Néfertiti : tu as tort. Djehoutymes ne l'a pas laissé borgne volontairement. Je crois qu'il n'a pas eu le temps de le terminer. C'est tout.

Tu n'as pas jugé...

Le Caire

Judith interrompit la lecture de Lucas pour s'informer :

— C'est aussi votre opinion ?

L'égyptologue la dévisagea par-dessus ses lunettes.

— Vous voulez parler de l'état du buste ?

— Oui. Puisque l'orbite vide ne présentait aucune trace de colle, on peut en déduire que l'œil n'a pas été égaré.

— On a évoqué à ce propos les raisons les plus loufoques. Certains ont même suggéré que la reine souffrait d'un grave problème ophtalmique, d'une cataracte ou de l'équivalent antique de la maladie. Personnellement, j'estime que l'explication est plus prosaïque. C'est celle que donne Anoukis. Pour une raison ou une autre, le sculpteur n'a pas eu le temps d'achever le buste, ce qui, par ailleurs, expliquerait qu'on ait pu le retrouver dans la cité de l'Horizon.

— Je ne vous suis pas.

— Lorsque la cour décida de quitter la cité d'Aton, il est probable que Djehoutymes fit ce que tout artiste sensé eût fait à sa place. Il emporta les œuvres auxquelles il tenait et laissa sur place celles qui étaient inachevées ou endommagées. Étant donné que c'est dans l'atelier même du sculpteur que Borchardt, l'égyptologue allemand, a retrouvé le fameux buste, comment ne pas en conclure qu'il faisait partie des œuvres inachevées ? Cela n'ôte rien à la splendeur de cette pièce unique.

— C'est vrai, confirma Judith. Quand je pense que le musée de Berlin, où elle se trouve actuellement, n'a rien trouvé de plus original que de rajouter un corps dénudé à la tête de Néfertiti...

Lucas fronça les sourcils.

— Vous n'êtes pas sérieuse ! Je n'étais pas au courant de cette affaire.

— Et pour cause. C'est tout récent. Le conservateur du musée a en effet commandé à deux artistes hongrois une statue en bronze dans laquelle on a logé la tête en calcaire de la reine[70]. Imaginez un peu la réaction des égyptologues égyptiens !

Lucas ne put retenir un éclat de rire.

— Si vous voulez mon avis, le chercheur allemand n'a pas digéré d'être interdit de fouilles après que des rapports policiers eurent évoqué ses éventuels liens avec des trafiquants d'antiquités.

— Allez savoir ! C'est peut-être aussi parce que les Égyptiens n'acceptent toujours pas le rapt de Néfertiti...

Anoukis à Keper

... Tu n'as pas jugé utile de débattre de mon dernier courrier ? Tant pis. Je poursuis en espérant que cette missive trouvera en ta demeure climat plus hospitalier.

Te souviens-tu, Keper, comme il était agréable de vivre dans la cité de l'Horizon d'Aton. Nous étions comme détachés du monde, et de l'Égypte, qui continuait pourtant de se mouvoir. Je doute que les paysans de la vallée aient connu l'existence de la nouvelle capitale et des rêves de son pharaon. Quant à ceux qui avaient été instruits, ils étaient partagés entre méfiance et rejet. Quel était donc ce dieu qui tout à coup cherchait à supplanter les dieux de nos ancêtres ? Quel était ce dieu qui manifestait son dédain pour les formules magiques et le royaume des morts ? En réalité, force est de reconnaître que la très grande majorité de notre peuple continuait à pratiquer ses dévotions selon ses croyances. D'ailleurs, au sein de la cité de l'Horizon, à quelques pas seulement du palais du pharaon, des gens priaient Ptah en secret, d'autres la déesse Heqet, d'autres encore Amon lui-même. Il est si difficile de bouleverser les traditions, ami ; surtout celles des petites gens si attachées à leurs racines. Au fond, comment aurait-il pu en être autrement ? Le pharaon vivait en vase clos avec la reine et leurs enfants. Et s'il nous dispensait quotidiennement son enseignement avec ferveur, Akhenaton restait confiné en ville.

Nous écoutions son enseignement ainsi qu'il le souhaitait, « avec le cœur ». D'entre nous tous, je pense que c'est Maï, le scribe et chancelier royal, qui se montrait le plus prolixe en louanges. Il clamait : « Écoutez ce que je dis ! Car je vous dis les bienfaits que le maître m'a accordés. Alors vous direz : qu'elles sont grandes ces choses qui furent faites pour cet homme de rien ! J'étais un homme de rien, mais le prince m'a établi. Il m'a permis de croître. Il m'a donné des provisions et des rations tous les jours, à moi qui étais jadis un mendiant de pain. »

Hélas, mis à part ses disciples, qui aurait voulu prêter l'oreille à toutes ces choses ? Aton et son fils élu ne régnaient que sur un carré de désert. En vérité, je devrais écrire : Aton, son fils et « Celle qui fait reposer Aton par sa voix douce et ses belles mains », Néfertiti. Car, depuis que nous résidions dans « l'horizon du globe », l'importance de la reine n'avait fait que croître. Les tâches rituelles qu'elle accomplissait étaient tous les jours plus nombreuses ; elle assistait à toutes les cérémonies, avait la charge de la « demeure du repos d'Aton », et dirigeait avec passion le clergé féminin. Aux yeux du pharaon, elle n'était pas seulement sa reine, mais aussi sa déesse, et par conséquent celle de tous les habitants de la cité. La « souveraine des Deux Terres » évoluait au côté de Rê, l'Unique, son époux pour toujours et à jamais. En Néfertiti se confondaient Isis et Nephthys, Hathor et Tefnout, et toutes les divinités féminines ensevelies dans nos mémoires. Son pouvoir était grand. Toujours inférieur, bien sûr, à celui de son époux, mais proche, si proche. Je revois encore le jour où elle s'était montrée en compagnie du pharaon au balcon des apparitions. Nous fûmes tous subjugués, non par sa beauté insurpassable, mais par la couronne-*atef* qui ornait son crâne. Cette couronne, de couleur blanche, au sommet légèrement fendu pour accueillir un petit soleil et deux plumes d'autruche, recelait de redoutables sortilèges. Jamais, dans toute l'histoire de notre terre, il n'a été accordé à une femme – hormis à la grande Hatshepsout – de porter pareille couronne. Mais Hatshepsout était pharaon !

Le sablier du temps continua de s'écouler. Vers le milieu de l'an IX naquit le cinquième enfant du couple royal. Encore une fille ! Des langues persiflèrent. Tiyi, cette fois, n'eut aucune réaction. Je crois qu'elle s'était résignée. On nomma l'enfant Nofrenoferourê. Cette propension de Néfertiti à ne mettre au monde que des femelles m'a toujours surpris. On aurait pu attendre d'une telle femme, qui, par certains traits de son caractère, présentait plus de virilité que certains hommes, qu'elle enfantât des mâles. Non. La faute en revenait peut-être à son époux. La féminité du pharaon triomphait de la force virile de son épouse.

Sur ce, je prends congé de toi, ami Keper. Que cette missive te trouve de meilleure humeur et en bonne santé.

Keper à Anoukis

Ma santé ? Parlons-en ! Mes humeurs sont noires. Et le médecin que j'ai convoqué m'a tancé vertement. Il paraît que j'abuse de la bière et du vin. Selon lui, je devrais m'interdire d'en boire. Tous les médecins m'amusent. Je lui ai demandé : « Pourquoi devrais-je m'imposer ce sacrifice ? » Il m'a répondu : « Pour vivre plus longtemps. » Ce à quoi j'ai répliqué : « Peux-tu m'assurer que je vivrai plus longtemps ? » Un petit sourire triste est apparu aux commissures de ses lèvres, et il a soupiré : « Point d'état qui ne soit dominé, hors le savant qui lui-même est dominé. Non, hélas, je n'ai pas ce pouvoir. » Et il ajouta : « Mais la vie te paraîtra certainement beaucoup plus longue. » Il a de l'humour. Un humour acide.

Cette fois, je t'ai lu et relu. Je ne trouve pas grand-chose à redire – et ce n'est pas l'envie qui me manque –, encore que j'estime que tu ne mets pas assez en valeur le rôle de la reine. La belle était omniprésente, et le couple, inséparable. Son époux se livrait en public à des démonstrations d'affection que, pour ma part, je trouvais excessives. On eût espéré un peu plus de pudeur de la part d'un couple royal. Et il faut aussi compter avec les filles, en constante représentation. Lorsque le pharaon apparaissait, nous savions que sa descendance n'était pas très loin. Je n'ai pas beaucoup de patience avec les enfants ; les filles encore moins, et surtout en bas âge. Ça braille, ça gesticule dans tous les sens. Enfin... La progéniture du couple royal était relativement supportable, et j'éprouvais même une certaine tendresse pour la petite Ankhsenpaaton. Jamais je ne me serais douté qu'elle aurait fini dans les bras de ce débile de Toutankhamon. Qu'Osiris lui arrache la langue ! Il s'est fait retourner en moins de temps qu'il le faut pour le dire par ce voyou de Horemheb. Les voies d'Aton sont impénétrables.

Tu as raison aussi lorsque tu soulignes que nous vivions en autarcie et que la prédominance du dieu du pharaon s'arrêtait aux stèles frontières. Il suffirait de se souvenir qu'à une journée de cheval de la cité du globe Mahou, le gouverneur de la ville de Neferousy[71], continuait en toute indifférence à sacrifier aux divinités traditionnelles. Mais à qui la faute ? Akhenaton se contentait de nous abreuver de jolis discours et de nobles sentiments. Tolérance, paix, amour. Amour, tolérance, paix. Il nous a rebattu les oreilles avec ces mots pendant des années. Crois-tu que l'on puisse imposer des changements profonds et durables avec ces seuls préceptes ? Pour preuve, les choses bougeaient aux frontières de l'Égypte. Nous étions de moins en moins respectés. Nos vassaux avaient commencé à prendre certaines libertés, et nos ennemis louchaient sur nos conquêtes. Le paiement des tributs se faisait moins régulier. Tout à son destin divin, notre souverain se désintéressait du monde terrestre qui, lui, pourtant, continuait de vivre. Son désintérêt fut contagieux et se répandit dans le corps même de l'État. Nous ne le pressentions pas alors, mais l'orage grondait. Il éclata aux alentours de la neuvième année. Si ma mémoire est fidèle, c'est à ce moment que le pharaon imposa un nouveau nom à Aton : « Rê vit, le régent de lumière qui jubile dans la région de lumière en son nom de Rê, le père, qui est venu en tant qu'Aton. » Il n'était plus fait la moindre allusion à Horakhty, le dieu solaire à tête de faucon, ni à Chou, le dieu de l'air lumineux. Seul Rê vivait au côté d'Aton.

Mais là ne fut pas le plus grand bouleversement. On eût juré que toutes les tempêtes de sable s'étaient soulevées en même temps pour frapper le Double Pays. Je me suis retrouvé en plein cœur de la tourmente puisqu'il m'a été ordonné d'exécuter les ordres du pharaon. Cela se passa le premier mois de la saison de *Shemou*. Il faisait une chaleur torride. Le sable brûlait, et les dunes flambaient. Une brume opaque flottait sur la surface du Nil et au-dessus de la cité de l'Horizon. Lorsque le pharaon me convoqua, le soleil venait à peine de poindre sur les marches de l'est. Il m'accueillit – situation rare – debout. Jamais je ne lui avais vu cette expression. On eût dit un fauve. Il ne parla pas. Il rugit.

— Abattez les statues ! Brisez les figures ! Fracassez les fresques ! À partir d'aujourd'hui, je ne veux plus que subsiste trace d'Amon. Rien ! Martelez son nom où qu'il soit. Des pyramidions au plus profond des tombeaux. Qu'il ne reste rien ! Amon est un dieu trop gras et trop pervers pour continuer à vivre à mes côtés. Sa place n'est plus dans la Vallée. Qu'il soit maudit ! Maudit soit Amon !

Détail étrange. Tandis qu'il parlait, j'aperçus la reine Tiyi, à moitié cachée par une colonne, qui nous observait en silence, et j'eus la conviction qu'elle approuvait les propos de son fils.

Dès le lendemain, la fureur du pharaon se déversa à travers les rues et les temples du Double Pays. Des hérauts parcoururent places et jardins en proclamant qu'Amon était un faux dieu, que l'heure était venue de le détruire à jamais. Dans le même temps, des ouvriers expédiés dans le Haut et le Bas Pays commencèrent leur mission dévastatrice. On fit ce qu'avait ordonné Pharaon. Tous les cartouches sur lesquels figurait le nom d'Amon furent martelés. Dans les jours et les semaines qui suivirent, les terres d'Amon, le bétail, les esclaves, l'or et l'argent furent transférés au bénéfice du dieu unique. Il y eut quelques résistances de la part des prêtres de Thèbes, mais si insignifiantes qu'elles ne méritent même pas qu'on les évoque dans le détail. Jour après jour, l'œuvre d'éradication se poursuivit. Même les scarabées commémoratifs ne furent pas épargnés, ni le signe qui sert à écrire « les dieux ». Tant que je vivrai, je me souviendrai de ces heures. Jusqu'à mon dernier souffle, j'entendrai le bruit sourd des marteaux et celui métallique des burins. Ils résonnent aujourd'hui encore comme un chant de victoire. Oui, nous avions vaincu ce clergé omnipotent, leurs prétendues formules magiques et tout le reste. Enfin quelqu'un avait eu le courage de nous débarrasser de cette lie ! Et, pour être totalement sincère, je t'avouerais ce que tu sais déjà : je n'ai jamais eu d'affinités avec un clergé, mais Aton emportait mon adhésion. Pourquoi ? Il est plus aisé de se faire accorder des grâces par un seul dieu que par une centaine. As-tu jamais essayé, mon frère Anoukis, de dresser la liste de nos divinités ? Anoukis, Anat, Anubis, Apis, Apopis, Ash, Astarté, Atoum, Bastet, Bennou, Bès, Bouchis... J'arrête là. Rien que de les énumérer m'épuise. Et dire qu'ils sont revenus et qu'ils continuent de hanter le Double Pays ! Quel gâchis ! Je...

Le Caire

Philippe Lucas interrompit sa lecture.

— Notre ami Keper se trompe.

— Que voulez-vous dire ? questionna Judith.

— Lorsqu'il écrit que rien ne fut épargné dans cette frénésie de désacralisation, il se trompe. Dans la tombe du vizir Ramôse que nous avons mise au jour, le premier nom d'Akhenaton, c'est-à-dire Amon-Hotep, ou Amenhotep, ne fut pas détruit. Dans la tombe d'un autre vizir, Kherouef, si le nom d'Amon a été effectivement effacé, on le retrouve dans les cartouches royaux d'Amenhotep III et d'Akhenaton lui-même. Sur une stèle d'Amenhat, le nom d'Amon est bien supprimé, mais celui d'Osiris est intact et ce, bien qu'il soit accompagné de plusieurs autres dieux et déesses tels que Isis, Horus, Geb et Nout. Pourtant, cette stèle aurait pu être infiniment provocante aux yeux des ouvriers puisque Osiris y est décrit comme « le premier des dieux, créateur du ciel et de la terre ». Je pourrais citer bien d'autres cas. Le Fayoum[72], par exemple, semble avoir échappé aux marteaux et aux burins.

— En quoi est-ce surprenant ? On peut parfaitement imaginer que ceux qui furent chargés de cette mission ont mal fait leur travail, ou qu'ils n'étaient pas suffisamment nombreux pour mener à bien une entreprise de cette taille. On peut supposer aussi que certains ouvriers se montrèrent réticents à accomplir un geste qui heurtait leurs convictions.

— C'est possible, concéda Lucas, mais ce n'est qu'une partie de la vérité. À mon avis, cette opération ne fut pas aussi organisée et profonde que nos épistoliers veulent bien le laisser entendre. Si Akhenaton avait vraiment eu la ferme intention de museler Amon, alors il serait allé droit à l'essentiel, c'est-à-dire l'enceinte même de Karnak où – je vous le rappelle – résidait le siège sacré de son rival. C'est là, dans ce centre névralgique, qu'il aurait lancé ses ouvriers, ses soldats, quitte à négliger les autres sanctuaires disséminés à travers le pays. Après tout, c'est exactement ainsi qu'agira plus tard Horemheb. Lui ne lésinera ni sur la forme ni sur les moyens.

Judith glissa machinalement la main dans ses cheveux.

— Finalement, Akhenaton aurait dû se montrer mille fois plus sévère à l'égard des autres divinités, et ne pas persister à vivre replié dans sa cité. Il aurait dû franchir certaines étapes, briser les résistances et mettre au pas, une fois pour toutes, le clergé d'Amon.

— Certes, fit observer l'égyptologue, mais dans ce cas ne l'aurait-on pas accusé de despotisme et de tyrannie ?

Un sourire ironique anima les lèvres de la jeune femme :

— N'est-ce pas ce qui s'est passé ? Nombre d'historiens anciens ou modernes ont condamné son action. On l'a traité – on le traite encore – de détraqué, de fanatique, de malade, d'épileptique, de dictateur, de mégalomane, et j'en passe. Ou alors on le décrit comme un esprit dément, un fou furieux qui n'aspirait qu'à se venger.

— C'est vrai. Mais vous avez aussi le camp de ceux qui voient en lui un Marc Aurèle. Comme toujours dans ce type d'aventure, avis et jugements sont partagés. On peut aussi accorder foi à la théorie qui voudrait qu'Akhenaton ait commis une grave erreur en ouvrant les temples, en permettant que le commun des mortels accède à un enseignement jusque-là réservé à quelques élus.

Il soupira avant de conclure :

— Au fond, Aton possédait toutes les qualités nécessaires pour accéder à la position de dieu universel : créateur du monde animal et végétal, père des Égyptiens, mais aussi des peuples étrangers. À travers chaque aube naissante, il portait l'espérance de tous les humains, sans distinction. Si son promoteur avait su mieux gérer son affaire, Aton aurait peut-être connu le même triomphe que le dieu de Moïse. Seulement voilà : Akhenaton le voulait-il ?

Le silence retomba quelques instants, puis Lucas reprit sa lecture.

Keper à Anoukis

... Et dire qu'ils sont revenus et qu'ils continuent de hanter le Double Pays ! Quel gâchis ! Je me dis parfois qu'Akhenaton a manqué de courage. Trop émotif, si tu veux mon avis ! Trop timoré. Enthousiasmé par sa décision de mettre au pas les parasites d'Amon, j'ai vraiment cru que c'en était fini avec eux. Hélas, repliés dans la cité du Globe, nous n'avions pas accès à toutes les informations qui circulaient entre la Haute et la Basse-Égypte. Ce n'est que plus tard, beaucoup trop tard, que j'ai appris comme toi le laxisme dont firent preuve les ouvriers destructeurs, et surtout le manque d'effectif. Pour rayer définitivement Amon et les siens de la terre de Kemi, c'est l'armée que le pharaon aurait dû utiliser. Et non une centaine d'hommes.

Si, au terme de cette neuvième année, nous nous sentions confiants, la suivante nous réserva une déception. Pour la sixième fois, « La Belle est venue » donna naissance à un enfant. Pour la sixième fois, ce fut une fille. Reconnaissons qu'il y avait là comme une malédiction. Six filles pour un pharaon ! La reine Tiyi, toujours aussi vivante et plus acariâtre que jamais, fit ce commentaire pour le moins sibyllin : « Encore une bougie en plein jour. » Le couple royal baptisa le nouveau-né du nom de Setepenrê.

À présent, Anoukis, il me faut prendre congé de toi. J'attends d'un instant à l'autre la venue de mon médecin. J'espère qu'il ne va pas me servir son habituel discours farci de remontrances et de recommandations stériles.

Reçois mes amitiés fatiguées.

Anoukis à Keper

Je prie Aton pour que tu recouvres tes forces au plus vite. Tu es le seul ami qui me reste sur cette terre. Ne t'avise pas de m'abandonner, veux-tu ? Je ne le supporterais pas.

Une sixième fille, c'est exact. Et tinte encore à mes oreilles la remarque acide de la reine mère qui, bien qu'ayant franchi le cap de la cinquantaine, conservait toujours bon pied bon œil.

Tu t'es souvenu de la naissance de Setepenrê, mais il est curieux que tu aies passé sous silence l'événement d'importance qui est survenu au terme de la dixième année du règne de « Celui qui fut bénéfique à Aton ». La fatigue, sans doute. Le nom de Kiya ne te rappelle donc rien ? Elle faisait partie des innombrables créatures qui évoluaient dans le harem royal. Soudainement, à la grande surprise de tous, Akhenaton en fit sa favorite. Il lui accorda même le titre d'« épouse secondaire ». Adieu, l'image du parfait amour qu'offrait jusqu'à cette heure le couple royal ! D'un coup d'éventail, une rivale venait de balayer l'union idyllique, transformant un amour de légende en un amour, somme toute, commun. Je n'ai jamais compris ce qui avait pu traverser l'esprit du pharaon. Kiya n'était point belle. L'eût-elle été, jamais elle n'aurait pu rivaliser avec la grâce de Néfertiti. Aucune femme n'aurait pu. En vérité, je me suis fait ma propre opinion sur cette affaire. Je sais que tu ne la partageras pas, compte tenu de ce que tu m'as dit sur Djehoutymes et son amour déçu. Je pense que les relations entre le souverain et son épouse étaient au plus mal, et je soupçonne celle-ci de s'être laissé envoûter par les chants amoureux de son sculpteur favori, je veux parler bien sûr de Djehoutymes. À mon avis, elle a fini sur sa couche, et le roi l'a su. Ce qui expliquerait qu'il ait jeté son dévolu sur Kiya, et les événements qui s'ensuivirent.

Le Caire

Judith leva les yeux et questionna :

— Est-il possible que cette favorite impromptue fût d'origine mitannienne ?

— Là encore, mystère. On pourrait interpréter son nom comme une dérivation de Ky, mot égyptien pour « singe », ce qui, j'en conviens, constituerait un surnom étrange : « jolie laide ». Comme je l'ai expliqué au docteur Yacoub, nous ignorons tout d'elle. Dans les années 1950, on a découvert l'existence de ce personnage en déchiffrant son nom sur certains objets exhumés à Tell el-Amarna. Parmi ces objets, une tablette à offrandes, des pots et des tubes de cosmétiques ainsi qu'un couvercle brisé. Nous ne possédons d'elle aucune statue. Uniquement un dessin : un visage souriant et affable qui fait penser au visage d'une femme-enfant. Sur des blocs mis au jour à Hermopolis, on peut aussi lire son nom gravé au-dessus de celui de Meritaton et d'Ankhesenpaaton. Un détail qui dénote que Kiya occupa très probablement une position non négligeable. Mais d'où venait-elle ? Une inscription trouvée sur un cône funéraire ayant appartenu à un intendant inhumé à Thèbes l'identifie comme la « favorite venue du Naharina ». Bien qu'elle ne portât jamais le titre d'Épouse royale, et qu'elle ne fût jamais représentée portant l'uræus des reines, tout laisse accroire qu'elle jouissait d'une grande considération à la cour.

— Je crois bien qu'elle reçut le titre de Tachepset, « La favorite, la très aimée ».

Lucas approuva et demanda :

— Avez-vous entendu parler du conte des deux frères ?

La jeune femme afficha un air interrogatif.

— Il s'agit d'un vieux récit qui remonte au Nouvel Empire et qui relate l'histoire d'un pharaon qui serait tombé éperdument amoureux d'une belle étrangère après avoir respiré le parfum d'une mèche de ses cheveux. Le conte précise : *« Sa Majesté l'aima et lui donna le rang de Grande Dame. »* De là à imaginer que la femme en question aurait pu être la mystérieuse Kiya...

Il haussa les épaules et enchaîna :

— On a aussi laissé entendre que Kiya pouvait être un surnom affectueux donné à Néfertiti par son époux. Ce qui n'est absolument pas crédible.

— Pourquoi ?

— Parce que nous possédons suffisamment d'indices qui démontrent que cette favorite a bel et bien existé et qu'elle jouissait d'un grand respect de son vivant, qu'il lui fut accordé – entre autres privilèges – de prendre part aux rituels d'adoration d'Aton, qui semblaient pourtant l'apanage exclusif d'Akhenaton et de Néfertiti. Elle possédait un temple solaire, très certainement assorti de terres qui lui procuraient des revenus. Qui plus est, elle pouvait officier au côté du roi ou, curieusement, seule.

Il désigna les papyrus en souriant :

— Quant à l'idée exprimée par notre épistolier, à savoir que Néfertiti fut la maîtresse de Djehoutymes, elle est pour le moins fantasque.

Judith fit remarquer avec une pointe d'espièglerie :

— Vous étiez donc dans l'atelier du sculpteur ou sous le lit de la reine ?

Elle ajouta très vite :

— Je reprends la lecture...

Keper à Anoukis

Mon ami, voilà bientôt une semaine que je me morfonds à ressasser les propos que Neferi m'a tenus. Tu te souviens peut-être que j'attendais sa visite et que je l'appréhendais. Si je pressentais que ma santé était chancelante, je n'imaginais pas qu'elle le fût à ce point. Le sage Pta-Hotep nous a souvent parlé de la vieillesse. Il l'a fait sans illusion. C'est, disait-il, le temps de la laideur et de la déconstruction du corps et de l'esprit. La vue se voile, la mémoire fait naufrage, les jambes gémissent, et les articulations se lamentent sous le fardeau du corps qu'elles doivent encore porter. À l'époque, en écoutant ces sombres propos, je souriais. Pauvre fou que j'étais ! Je sais aujourd'hui qu'il avait raison. J'ignore combien de semaines ou de mois il me reste encore à vivre ; mais Neferi ne m'a pas laissé beaucoup d'espoir. Je ne verrai probablement pas l'aube de la nouvelle année. Une maladie qui n'a pas de nom me ronge. Je le regrette : j'ai toujours préféré connaître l'identité de mes ennemis. Curieusement, je ne suis ni amer ni triste. Tu sais bien que, depuis notre exil de la cité de l'Horizon, notre existence – la mienne en tout cas – a perdu tout son sens. Toi, au moins, tu as une femme qui veille sur tes jours et tes nuits. Une voix te parle. Un regard croise le tien, tandis que moi je suis confiné dans ma solitude. Alors vivement que tout s'arrête et que se poursuive ailleurs ma vie, vers le Bel Occident. Pour l'heure, je me gave d'herbes médicinales et je multiplie les lavements. Selon Neferi, ce traitement me permettra de moins souffrir. On verra bien.

À présent, je reviens à ta lettre. Comme je te l'ai déjà dit, je ne crois pas un seul instant que Néfertiti fut l'amante de Djehoutymes. L'ascension de Kiya est beaucoup plus simple à comprendre. Je m'étonne d'ailleurs que tu n'aies pas été au courant de l'affaire. Kiya a accompli ce que ni la reine ni aucune courtisane ne furent en mesure d'accomplir : au début de l'an X, elle donna au pharaon un héritier mâle ! Après la naissance de six filles, l'événement fit l'effet d'un tremblement de terre. Comment as-tu pu l'ignorer ? Tu vivais pourtant au palais et partageais l'intimité du souverain. Ne t'a-t-il rien dit ? Nous tous savions que Toutankhamon, « L'image vivante d'Amon » – car c'est de lui qu'il s'agit –, était bien le fils de Kiya. Imagine la joie du père ! Enfin un fils ! Un garçon ! Le présent était inespéré. On récita pour lui toutes les prières afin que nul mal ne s'abatte sur lui et que l'allaitement maternel ne tarisse point. On n'hésita pas pour l'occasion à invoquer les dieux en clamant : « Que chaque dieu protège ton nom, chaque lieu où tu te trouveras, chaque lait que tu boiras. » Je ne me souviens plus de la suite. Dès lors, tu peux comprendre aisément que Kiya fût tirée de l'ombre et hissée vers la lumière. Oh ! cette promotion fut de bien courte durée. Au début de l'an XII, elle réintégra l'anonymat du harem royal, et je n'ai plus jamais entendu parler d'elle jusqu'au jour où, un an plus tard, elle décéda. Est-elle morte de chagrin ou de fureur ? Les deux, sans doute. Peut-être a-t-elle imaginé un bref instant que le fait d'avoir donné un héritier mâle au pharaon lui permettrait de supplanter la Grande Épouse royale. Elle se trompait : Néfertiti n'était pas de ces femmes qu'on évince, mais de celles qui vous quittent. L'avenir nous l'aura démontré.

Le soleil se couche. Le crépuscule avance. Il est bientôt l'heure de ma potion. Ensuite, j'irai m'allonger sous le seul sycomore qui jette son ombre au coin de la ruelle. Je t'embrasse, ami.

Le Caire

— Toutankhamon, fils de Kiya ? s'exclama Judith. Vous y croyez ? Personnellement, j'ai toujours pensé qu'il était le frère d'Akhenaton. Un fils que Tiyi aurait eu sur le tard.

Philippe Lucas esquissa un mouvement vague de la main.

— Comme vous avez pu le constater, ce règne est tissé d'interrogations. Il existe plusieurs versions. L'une d'entre elles propose en effet Tiyi comme étant la mère de Toutankhamon. Je suis sceptique. Si nous nous appuyons sur la chronologie, en l'an X du règne d'Akhenaton, la reine mère aurait approché la cinquantaine. Elle était donc très probablement stérile.

— Ce n'est pas l'opinion de tous. Une égyptologue aussi réputée que Christiane Desroches Noblecourt est convaincue du contraire. Pour elle, Tiyi était tout à fait apte à enfanter malgré son âge avancé. À l'appui de sa thèse, elle rappelle la vigueur des femmes d'Égypte et de

Nubie, et la ressemblance indiscutable entre Amenhotep III, la reine et Toutankhamon.

— Une ressemblance qui pourrait tout aussi bien s'expliquer si Akhenaton était le père. Ce ne serait pas la première fois qu'un garçon aurait hérité de certains traits de ses grands-parents.

L'égyptologue lança avec vivacité :

— Mystère, tout est mystère, vous dis-je. On suppose même que Toutankhamon était le fruit d'une liaison illégitime entre Akhenaton et... sa mère Tiyi ! En revanche, pour ce qui est de Kiya, nous avons une certitude, et ce que dit Keper est exact. La favorite s'est évanouie dans la vallée du Nil aussi vite qu'elle y était apparue. Elle a peut-être donné naissance au fils héritier aux alentours de l'an X, mais, deux ans plus tard, son nom disparaît. Il se pourrait qu'elle fût effectivement morte, à moins qu'elle fût tombée en disgrâce. Ce qui est sûr, c'est que l'on n'a jamais retrouvé sa tombe.

Judith glissa une main dans ses cheveux, médita quelques instants avant de se replonger dans la lecture du manuscrit.

Anoukis à Keper

À la réception de ta lettre, j'ai bondi. Comment n'ai-je pas tenu compte des rumeurs qui circulaient à l'époque ? Il est vrai que l'on murmurait à la cour qu'un enfant mâle était né et que sa mère n'était autre que la favorite du souverain. À sa naissance, il avait été nommé Toutankhaton, « Vivante image d'Aton ». Un nom qu'il ne devait guère conserver longtemps puisque le jour de son sacre, à neuf ans à peine, on le prénomma Nebkhépe-rourê. Et plus tard, comme tu le sais, il se fera appeler Toutankhamon. Décidément, je suis impardonnable. D'autant plus qu'il me souvient de m'en être entretenu avec « Celui que j'aimais ». S'il ne m'a pas confirmé l'information, il ne l'a pas démentie non plus. De toute façon, que Toutankhaton fût le fils de Kiya ou non ne change rien à sa trahison. Bien sûr, tu rétorqueras qu'il n'était qu'un gamin, qu'il était sous l'emprise de Horemheb et des autres. Néanmoins, il était avant tout le pharaon et, en tant que tel, il demeurait le maître absolu de l'Égypte. Mais parlons d'autre chose. Tout ce qui me rappelle l'après-Akhenaton me tord le cœur.

Nous nous étions arrêtés, me semble-t-il, en l'an XII, l'année où les représentants des grandes puissances d'Asie, d'Afrique et de l'Egée débarquèrent dans la cité de l'Horizon pour recevoir la bénédiction du pharaon. Journées fastes, journées glorieuses ! Jamais, de mémoire d'homme, on ne vit spectacle aussi somptueux. Les préliminaires eurent lieu à Thèbes, mais c'est à Akhetaton que la cérémonie se déroula. Te souviens-tu du magnifique mobilier que l'on utilisa ? Sous un ciel qu'on eût dit couvert de saphir, je revois encore le roi et la reine, accompagnés de leur suite, amenés sur des litières jusqu'au podium que l'on avait dressé dans le désert, à l'est de la ville. Parvenu à destination, le couple prit place sur des trônes dorés, tandis que les six filles se regroupaient sous un baldaquin parsemé de fil d'argent. Et le défilé commença. À tour de rôle, les envoyés de Libye et de Pount, ceux du Naharina, de Chypre, de Syrie, de Palestine s'avancèrent devant la famille royale afin de déposer leurs offrandes à ses pieds. Les cadeaux que leurs esclaves transportaient rivalisaient de splendeur : armes décorées, chars, chevaux, pierres précieuses, antilopes, lions, oryx, plumes et œufs d'autruche, encens et gommes, jeunes esclaves, meubles d'ébène, ivoire, colliers d'or, et j'en oublie !

Les représentants venus d'Afrique n'étaient pas en reste. Ils déposèrent au pied du trône des sacs de peau remplis d'or et d'argent. Dans leur sillage, on pouvait apercevoir des animaux à longues cornes, des chiens de chasse et des léopards tenus en laisse.

Sous l'ombre propice du baldaquin, drapée dans une robe de lin, la gorge recouverte par un pectoral d'or, Néfertiti observait le spectacle. Le pharaon, le crâne couvert de la double couronne, le sceptre et le fouet à la main, hochait la tête de temps à autre comme pour approuver ces démonstrations d'amitié et de soumission.

À aucun moment je n'ai vu de lueur condescendante ou vaniteuse traverser ses prunelles ; je n'ai observé que de la bienveillance.

Ce fut un jour inoubliable qui restera à jamais gravé dans ma mémoire et dans celle des spectateurs. Hélas... Dans le sablier du temps coulent tour à tour les grains de sable du bonheur et ceux du malheur. Rien n'est figé en ce bas monde. Rien n'est définitif, même pas la mort. À ces heures de joie n'allaient pas tarder à succéder des jours funestes. C'était la dernière vision de la famille royale heureuse et unie que le sort nous offrait.

Je préfère ne pas poursuivre plus avant et m'endormir sur cette image de bonheur. Mais la tâche ne sera pas aisée. Les tristes nouvelles que tu m'as données sur ta santé m'ont angoissé. Je t'en conjure, bats-toi. Ne laisse pas la noirceur t'envahir. Le pire n'est jamais certain.

Le Caire

Judith se racla la gorge comme pour se donner une contenance.

— Je ne sais plus qui a dit : « L'amitié est le bâtard de l'amour, mais un bâtard de sang royal. » Ces deux-là furent à n'en pas douter de vrais amis.

Lucas répliqua avec un léger sourire :

— S'ils ont existé...

Et, sans attendre la réplique de la jeune femme, il commenta :

— En fait, cette réception fut plus qu'une simple fête. Cela faisait quelque temps déjà que la situation dégénérait aux frontières de l'Égypte, et le malaise des alliés grandissait. Il est probable que ce fut sous la pression du divin père Ay et surtout sous celle de Horemheb qu'Akhenaton prit la décision d'organiser la cérémonie en question. Désespérant de convaincre leur pharaon d'utiliser la force pour museler les prétentions de certains adversaires du Double Pays, l'entourage d'Akhenaton a dû lui faire comprendre qu'il devenait urgent d'inviter tous les représentants de l'empire à lui rendre hommage. C'était, par la même occasion, une manière détournée de rappeler à l'ordre des rivaux trop gourmands, comme le roi hittite Souppilouliouma, et de contraindre les vassaux à se montrer toujours les obligés du successeur du maître de l'Égypte. Malheureusement, Akhenaton a manqué de discernement politique. Ce *durbar* arrivait bien trop tard. La désagrégation de l'empire égyptien était en marche.

Judith acquiesça.

— Il suffit de lire la réponse de Keper pour en avoir confirmation...

Keper à Anoukis

Ah ! mon frère ! Comme tu m'attendris. Tu n'as vu dans cette fête de l'an XII que joie et volupté. J'y ai assisté, l'aurais-tu oublié ? Bien sûr, ce fut beau, grandiose ! Cependant, cette fresque pleine de couleur, de chants et de musique cachait un tout autre décor. Voilà un certain temps déjà que notre pays s'était désintéressé des conflits extérieurs. Akhenaton a feint d'ignorer les problèmes suscités par certains de nos voisins avides d'exploiter notre passivité. Nos hommes liges tombaient les uns après les autres sous le pouvoir de vassaux rivaux, en particulier entre les mains rapaces des Amourrous de la plaine côtière de Syrie, dirigés par un roi sans scrupule, Abdiachirta. Aux marches de l'Anatolie, sur les plateaux dressés au-dessus de la haute vallée de l'Euphrate, les Hittites menaçaient chaque jour un peu plus le Mitanni. L'intraitable Souppiloulioumma s'était solidement installé sur le trône après avoir éliminé ses propres rivaux. Ses chars assaillaient régulièrement les armées des Hourrites qui ne furent bientôt plus en mesure de contrôler la voie de l'Euphrate supérieur. C'en était fini de ce temps où nos alliés pouvaient aller semer la terreur dans la forteresse hittite d'Hattusas. Pour mettre un terme à ses offenses, il aurait fallu que le pharaon prît les armes et qu'il portât la terreur sur les terres anatoliennes de Souppiloulioumma. Hélas, mille fois hélas, notre souverain n'a jamais tenu un glaive de toute sa vie. Dans sa trop grande magnanimité, dans son refus de verser le sang, il resta cloîtré à Akhetaton, convaincu que l'amour et la non-violence étaient les seules armes capables de remporter des victoires. Ces festivités de l'an XII n'étaient donc qu'un leurre, une vague manière de rappeler à nos ennemis que l'Égypte n'était pas tout à fait morte. Mais pour combien de temps ?

Ainsi que tu l'avais bien perçu, des jours sombres nous attendaient, et la suite des événements – tu le sais – devait se révéler plus sombre encore. Les fils de captifs en provenance d'Asie témoignaient déjà d'une agitation qui devenait désormais endémique, avec l'éclatement de la guerre entre les Hittites et le Mitanni, tandis que les États vassaux de Syrie étaient attirés dans le conflit. La fortune des principaux adversaires connaissait des hauts et des bas ; mais, finalement, les Hittites l'emportèrent, et les alliés de l'Égypte furent vaincus. Touchratta fut assassiné par l'un de ses fils, et le Naharina rayé de la carte d'Asie occidentale. En prenant conscience de tous ces désastres, on comprend mieux pourquoi le rêve de notre pharaon ne pouvait durer indéfiniment. Tôt ou tard, l'Égypte se devait de relever la tête. On n'a jamais vu d'empire résister en s'appuyant sur les grands sentiments. Le métal des épées n'est pas coulé dans le moule du cœur, mais dans celui de la colère. Tout ce qui fut déconstruit au nom de la générosité et de l'amour devait être reconstruit par la force et dans le sang.

Peut-être vois-tu plus clair à présent ? Nous cherchions des explications au désastre que nous avons subi. En voici une : le refus d'Akhenaton de se glisser dans l'engrenage de la violence, sa persistance à croire que Hittites et Mitanniens s'entredéchireront sans qu'aucun ne l'emporte sur l'autre, son entêtement à se limiter à des menaces verbales. Toutes ces erreurs ont fragilisé l'Égypte.

J'ai sous les yeux l'un des messages tragiques envoyé par Abdi-Heba, l'un de nos vassaux. Juges-en par toi-même : « *Que le roi pourvoie aux besoins de son pays ! Tous les pays du roi, mon seigneur, ont déserté. Chaque fois que tes commissaires se sont présentés, je leur ai dit : "Perdus sont les pays du roi", mais ils ne m'ont pas écouté. Perdus sont tous les maires. Il n'y a plus un maire qui reste au roi.* »

Je change de sujet... As-tu des nouvelles de Mererouka ? Il était harpiste à la cour et jouait aussi de la lyre. Admirable musicien. S'il était à Memphis, je me serais fait une joie de le faire venir ici afin qu'il adoucisse mes nuits.

Le Caire

Lucas se leva en murmurant :

— C'est bien ce que je vous disais. Akhenaton a manqué de discernement politique. Tout ce qui est écrit dans cette lettre est authentique. Cette période représente une véritable catastrophe pour l'Égypte. Byblos fut perdue. Le Mitanni qui, toutes ces années, avait été un fidèle allié, venait d'être dévasté. La Syrie fut annexée par les Hittites, et ce que Keper ne dit pas, c'est que les routes de Palestine étaient devenues de véritables coupe-gorge. Il est indiscutable qu'Akhenaton, tout à sa dévotion au dieu unique, n'a rien fait pour stopper la progression des Hittites et de leur roi Souppilouliouma.

Judith s'enquit :

— L'eût-il voulu, croyez-vous qu'il aurait pu freiner cette avance ?

— Bien entendu. Mais, pour ce faire, il aurait fallu lever une armée importante et entamer un effort de guerre sans concession. Une entreprise dans laquelle le pharaon a toujours refusé de se lancer pour les raisons que nous savons. Et, comme un malheur n'arrive jamais seul, au désastre politique a succédé le drame familial.

Cet an XII a vraiment été une date charnière dans le destin du pharaon et de son entourage. Tout bascula et se brisa à une vitesse impressionnante. Lisez la suite, je vous prie.

Anoukis à Keper

Que cette missive te trouve en meilleure santé.

Par quel enchantement t'es-tu souvenu du nom de Mererouka, le harpiste ? J'ai beaucoup ri en te lisant. Je repensais aux propos du sage Pta-Hotep au sujet de la vieillesse et de la mémoire qui fait naufrage. Tu peux être rassuré, manifestement la tienne est encore verte ! Tu n'es pas encore près d'être embaumé !

J'ignore ce qu'est devenu ce musicien à la voix enchanteresse. Je connais néanmoins quelqu'un qui saura me renseigner. Te rappelles-tu cette chanson qu'il reprenait à tout-va lorsque la bière et le vin s'étaient mélangés dans son sang et que l'alcool brouillait les cordes de sa harpe ? *« Personne ne revient de là-bas pour nous dire comment vont ceux qui sont partis, pour nous dire leurs désirs, pour réconforter nos cœurs. Alors réjouis-toi tant que tu es en vie, suis ton bonheur, ne le lâche pas, car tes lamentations ne te sauveront pas du trou ! »*

Ces vers n'ont jamais été aussi justifiés qu'en ce moment. Tu devrais les chanter tous les matins au réveil.

J'y pense ! Pourquoi ne ferais-tu pas appel à un magicien ? Il doit bien s'en trouver un à Memphis qui possède quelque compétence. Tu sais que l'on a coutume de dire que, si l'homme est malade, c'est qu'il est probablement victime d'un mauvais génie ou de l'hostilité d'un revenant. J'ai entendu parler de certains cas, condamnés par la médecine, qui recouvraient la santé grâce aux incantations et aux talismans. Lorsque la médecine est impuissante à vous guérir, n'est-il pas logique de chercher ailleurs une aide, d'où qu'elle vienne ? C'est un conseil, tu n'es pas obligé de le suivre, mais qu'aurais-tu à perdre ? Il doit bien se trouver à Memphis un magicien de talent.

Mais revenons au passé. Quelques mois après le grand rassemblement des représentants étrangers, dans les premières semaines de la treizième année du règne, le premier deuil foudroya le couple royal. La petite Maketaton décéda, âgée d'à peine douze ans. Quel drame ! Quelle déchirure ! Y a-t-il au monde plus grand malheur pour des parents que d'enterrer leur enfant ? Ce ne fut pas seulement la douleur qui ravagea le cœur d'Akhenaton et de Néfertiti, mais un sentiment intraduisible, comme des morceaux de braises incandescentes que l'on déverserait dans un ventre béant. L'ordre naturel veut que ce soient les personnes âgées qui partent les premières. L'inverse est un blasphème à toutes nos croyances. Jamais je n'ai vu autant de tristesse sur le visage de « Celui que j'aimais », non plus que sur les traits défigurés de son épouse. On enterra la fillette dans le tombeau royal que le souverain avait fait apprêter pour la famille. La reine était secouée de sanglots. Le roi s'efforça un temps de conserver sa dignité. Mais, très vite, les larmes glissèrent le long de ses joues. Après les funérailles, je me trouvai seul avec lui sur la terrasse du palais. La nuit était tombée, et la lueur des étoiles nous éclairait à peine. Après un long moment de silence, il me saisit violemment le bras et cria presque :

— Pourquoi ? Pourquoi Aton, mon dieu, dieu de la lumière et de l'espérance, dieu de bonté et d'amour, pourquoi Aton s'est-il montré si impitoyable à mon égard ? Pourquoi m'a-t-il enlevé ma petite fille ? Dis-moi Anoukis, dis-moi les mots pour que je comprenne.

J'avais la gorge serrée. Où aurais-je trouvé les mots ? Au fond de quelle constellation ?

Je bafouillai :

— Je ne sais pas, mon seigneur. Je sais seulement que la mort n'est pas une fin. Maketaton poursuit donc son voyage dans le monde d'ailleurs.

— Privée de nous ? Privée de ses parents ? Arrachée à notre amour ?

— L'amour survit à la mort. Ce n'est pas parce que les êtres que l'on aime sont invisibles à nos yeux qu'ils le sont à notre cœur. N'en es-tu pas convaincu ? C'est l'oubli qui tue. Non la mort. Maketaton demeurera à jamais dans nos mémoires.

Pour toute réponse, le souverain serra le poing et conserva le silence.

Hélas ! Nous n'étions qu'au début du cauchemar...

Quelque temps plus tard, ce fut au tour de la reine mère de disparaître, atteinte par cette terrible maladie, plus redoutée que la mort elle-même. La vieille femme était secouée de frissons. Allongée dans son lit, on eût dit un nénuphar flétri posé sur un étang agité. Tout son corps lui arrachait des cris de douleur. Quand elle ne tremblait pas, elle vomissait. Quand elle ne vomissait pas, elle se vidait, et elle finit par s'éteindre dans d'atroces souffrances, consumée par la fièvre et en proie au délire. Tout au long de son agonie, on pouvait l'entendre gémir et bredouiller des phrases où il était question de la malédiction d'Amon et de la vengeance des prêtres de Thèbes.

Dans les mois qui succédèrent au décès de Tiyi, la terrible maladie poursuivit son œuvre et emporta successivement les trois sœurs cadettes de Maketaton : Néfernéferouaton-ta-cherit, Nofrenoferourê et la petite Setepenrê. Cette dernière n'avait pas trois ans.

Le Caire

Judith resta songeuse un moment avant de murmurer :

— Ce genre de tragédie est intemporel.

— Bien sûr. La scène a été reproduite par les artistes de l'époque. On y voit effectivement Néfertiti et le roi en larmes. Il faut noter aussi qu'une épidémie de peste avait commencé à se répandre au Proche-Orient. Elle sévissait à cette époque en Asie Mineure et a probablement été introduite en Égypte par des caravanes de nomades.

La femme fit observer :

— Si l'on en croit les symptômes décrits dans la lettre : frissons, vomissements, douleurs musculaires, il semble bien que Tiyi soit morte de cette maladie. Il ne serait pas impossible que Kiya eût subi le même sort. Ce qui expliquerait sa soudaine disparition.

— C'est plausible, en effet. Quoi qu'il en soit, à partir de cette douzième année, tout sombra. Ou presque. Le naufrage du règne commença : celui du pharaon, des siens et enfin celui de toute la cité solaire.

Judith hocha la tête.

— Vous vous souvenez de l'affaire Toutankhamon... Le 26 novembre 1922, Howard Carter passe, la main tremblante d'émotion, une bougie par l'ouverture qu'il vient de pratiquer dans la porte d'un tombeau pharaonique avec, à ses côtés, lord Carnarvon, sa fille lady Evelyn et un assistant de Carter appelé Callender. La fabuleuse histoire du trésor de Toutankhamon vient de commencer. Et, avec elle, celle de sa terrible malédiction. Cinq mois plus tard, lord Carnarvon meurt, frappé d'une maladie mystérieuse. Il aurait confié à un ami quelques heures avant de décéder : « J'ai entendu l'appel, je me prépare. » Au moment même où il rend son dernier soupir, une panne d'électricité inexplicable plonge Le Caire dans l'obscurité durant trois bonnes minutes, tandis qu'en Angleterre, dans le château familial, le chien du défunt hurle à la mort avant de décéder subitement à son tour. Le frère de Carnarvon ainsi que le médecin qui avait radiographié la momie de Toutankhamon avaient subi le même sort. Bizarre, non ?

En guise de réponse, l'égyptologue invita la jeune femme à poursuivre d'un geste de la main.

— En 1926, c'est le tour du conservateur des Antiquités égyptiennes de succomber à une congestion en sortant de la tombe. Et le conservateur adjoint du Metropolitan Museum de New York décède peu après.

Lucas demanda :

— Quel est le rapport avec Akhenaton ?

— À croire que les prêtres d'Amon, secondés par ces magiciens qu'évoque Anoukis, se sont ligués pour jeter un sort sur le pharaon hérétique et sa cité.

Un petit rire secoua le Français :

— Parce que vous faites partie de ceux qui accordent foi à ces histoires de malédiction ? Nous avons pourtant une explication à ces décès successifs.

— Je sais. On suppose qu'un champignon – réputé pour s'attaquer aux voies respiratoires – sommeillait dans la tombe.

— Parfaitement. Et l'on sait que lord Carnarvon était particulièrement fragile des poumons. Mais cette explication trop raisonnable n'a jamais satisfait les rêveurs dans votre genre. Ici et là fleurissent des thèses, dont celle du poison dispersé dans l'atmosphère du tombeau ou sur certaines des pièces du trésor, du sarcophage ou de la momie elle-même. Les ouvriers auraient donc mis au point une sorte de bombe à retardement, un piège fatal se refermant sur les pilleurs. C'est romanesque, mais improbable.

Keper à Anoukis

Et dire que tu me conseilles de faire appel aux services d'un magicien ! Crois-tu que, si cette engeance détenait un quelconque pouvoir, le pharaon n'aurait pas ordonné à tous les magiciens de l'empire de venir au secours de sa fille ? La mort de cette enfant prouve – si besoin était – que les magiciens sont des charlatans. Pour ma part, je n'ai jamais cru aux sortilèges, non plus qu'aux formules magiques des *oushebti* ou autres abracadabras. Alors, sois charitable : oublie ta suggestion. Je continuerai de boire mes infusions.

Pour ce qui est de la mort de la petite Maketaton, je me suis demandé si tu avais volontairement passé sous silence la cause de son décès. Je te rappelle que, depuis un certain temps déjà, « Celui que tu aimais » copulait avec la fillette. Elle n'est pas morte de maladie, mais en couches. Ce sont les douleurs de l'enfantement qui ont eu raison de sa fragilité. Dans les années qui suivirent, Meritaton et Ankhsenpatoon ont elles aussi connu la couche royale. Tu n'as pas pu l'ignorer puisque deux enfants sont nés de ces rapports. Deux filles ! Encore et toujours des filles. Va savoir si le pharaon n'était pas victime d'une maladie qui le rendait incapable de procréer autre chose que des femelles ! Lorsque je repense à tout cela, je comprends mieux la vénération dont Kiya fut l'objet. J'aurais donné cher pour savoir comment cette femme est parvenue à donner naissance à Toutankhamon. Et...

Le Caire

Judith s'interrompit et lança, amusée :

— Quelle époque ! Comment ne pas être outré par ces relations incestueuses qui, rappelons-le, se déroulaient avec la bénédiction de la reine.

— La situation n'était nullement comparable avec ce que nous appelions en France le droit de cuissage et n'est pas à mettre sur le compte d'une attitude libidineuse et dérangée du pharaon. Les maîtres de l'Égypte ont toujours eu besoin d'assurer une postérité masculine pour que leur lignée « divine » fût perpétuée. Chacun de ceux qui régnèrent sur le pays est décrit comme « porteur de la semence divine », laquelle provenait d'une divinité particulière. Dans le cas d'Akhenaton, c'est évidemment Aton qui fait de lui le père absolu et parfait de la génération suivante.

Judith esquissa un sourire mitigé :

— Et comme ses prédécesseurs, notre pharaon ne s'est pas privé de jeter son dévolu sur ses filles. Un peu malsain tout ça, vous ne trouvez pas ?

L'égyptologue se contenta de lever les bras avec une expression fataliste.

— Chaque civilisation a ses dérives. Difficile de porter

un jugement avec la vision et le cerveau de notre XXIe siècle.

Il s'empressa d'ajouter :

— Poursuivons, voulez-vous ? Il est près de 20 heures, et j'ai une faim de loup.

Judith reprit à l'endroit où elle s'était arrêtée.

Keper à Anoukis

... J'aurais donné cher pour savoir comment cette femme est parvenue à donner naissance à Toutankhamon. Des mâles ! Cette obsession de nos souverains ! Comme si une femme eût été incapable de gouverner l'Égypte. Hatshepsout valait bien son pesant d'hommes, que je sache ! S'il n'en tenait qu'à moi, je confierais volontiers le destin du Double Pays à des gouvernants de sexe féminin plutôt qu'à des hommes. Regarde mon fils ! Que fait-il de sa vie ? Orfèvre... Je préfère arrêter là ma lettre, sinon je risque encore de bouleverser mes humeurs, ce qui m'est déconseillé par mon médecin. Je te salue, ami. À bientôt.

Anoukis à Keper

Arrête de me rebattre les oreilles avec ton fils ; il mène la vie qu'il a désirée, comme toi tu as vécu la tienne. Ta mémoire est toujours fidèle, mais pour le reste, je sens la sénilité qui te gagne.

Tu as évoqué la grande Hatshepsout. Cette fois, c'est moi qui te surprends en flagrant délit de complaisance.

Oublies-tu qu'elle aurait pu se contenter d'être simple régente comme Ahmès-Néfertari auprès de son fils Amenhotep Ier ? Que tu le veuilles ou non, elle a franchi une étape supplémentaire en accaparant tous les attributs de la royauté. Une attitude que son malheureux corégent, Djehoutymes, n'a pas du tout appréciée d'ailleurs. À peine Hatshepsout morte, furieux d'avoir vécu dans l'ombre pendant plus de vingt ans, il s'est empressé de faire effacer le nom de la reine sur les monuments ! Et on ne peut pas dire qu'il se dégageait de Hatshepsout une grande féminité ! Une barbe postiche, des vêtements masculins ! Personnellement, je ne ferais pas grande confiance aux femmes pour ce qui est de l'art de la guerre ou de la politique. Mais passons...

Je reviens en cet an XII qui fut si décisif et au cours duquel il s'est passé tant d'événements. Nous avons débattu de la mort des enfants, de celle de la reine mère, mais il reste l'essentiel. J'ai failli dire le plus grave : c'est vers la fin de cette année que l'impossible, l'impensable, survint : la rupture entre Néfertiti et « Celui que j'aimais ». Qui aurait pu l'imaginer ? Alors que, durant toutes ces années, ils avaient offert au peuple la vision de deux êtres que seule la mort aurait eu le pouvoir de séparer. C'est Néfertiti qui décida de partir. Elle ne fut pas répudiée, comme on l'a laissé croire. Ce fut elle qui, de son propre chef, après des jours et des semaines de tourments, quitta les appartements royaux pour aller vivre, en recluse, dans le palais du Nord. Rien, personne, ne put la retenir. En tout cas pas le pharaon, qui ne fit pas un seul geste pour tenter de la ramener à la raison. J'aurais même juré qu'il était soulagé et qu'il guettait ce moment depuis longtemps. Depuis que... oserai-je te le confier sans souiller la mémoire du souverain ? Plus tard... En vérité, le conflit avait éclaté depuis plus d'un an. Il était de plus en plus flagrant que la reine s'inquiétait pour leur avenir commun. Elle avait commencé à voir ce qu'Akhenaton ne voyait plus et à écouter ce qu'Akhenaton refusait d'entendre. Comme Horemheb, comme Parennefer, le majordome royal, comme le vizir Aper-El, et – l'avouerai-je ? – comme moi-même, elle avait pris conscience des graves dangers que l'attitude du pharaon faisait courir au pays. Son instinct de femme cria à Néfertiti qu'elle se devait d'agir avant qu'il ne fût trop tard. Alors elle essaya de faire entendre raison à son époux ! Avec douceur, avec patience, puis avec détermination. Hélas, il ne voulut rien savoir. Ses oreilles restaient bouchées, ses yeux scellés. Pour lui, la voie empruntée était la bonne. Il n'y en aurait pas d'autre. Que lui importait si nos vassaux se transformaient en ennemis, si les Hittites piaffaient d'impatience aux portes du désert. Il ne prendrait pas le glaive. Il ne verserait pas une seule goutte de sang. Cette confrontation entre le roi et la Grande Épouse royale ne dura pas une heure, ni un mois, mais près de deux ans. Exaspérée, à bout de forces et d'arguments, Néfertiti se retira. Un matin du mois de *Mésori* de l'an XIV, sous une chaleur accablante, elle partit pour ses appartements du nord et n'en sortit qu'à sa mort. Mais n'anticipons pas.

Je t'ai laissé entendre plus haut qu'un secret me tourmentait. Je vais te le confier pour que la réaction de Néfertiti ne te semble pas excessive. On ne quitte pas un époux sous prétexte que le destin ne vous sourit plus et que l'orage gronde. Bien au contraire, c'est dans ces moments que la solidarité doit se manifester. En vérité, il n'y a pas eu que l'opposition politique et leurs divergences de vue sur la manière de gouverner le Double

Pays qui poussèrent la reine à s'en aller. Il y eut plus grave : ce n'était plus la guerre ou la paix qui était en cause, mais l'amour. Ami Keper, tu sais que, si le roi appréciait les femmes, sa préférence allait nettement aux hommes. S'il puisait des moments de plaisir à posséder un corps féminin, sa jouissance était décuplée lors de ses étreintes masculines. Néfertiti n'ignorait rien de ses inclinations ; elles faisaient partie de la vie intime d'Akhenaton, et jamais elle ne se serait autorisé la moindre allusion perfide ou une once de désaveu. Que le pharaon aimât les hommes ne l'offensait en rien, tant que les liens qui l'unissaient à son mari demeuraient inchangés. Et ils le furent. Mais, à l'aube de la douzième année, un jeune homme – beau je l'admets –, de vingt ans à peine, apparut comme venu du soleil. Il s'appelait Semenekhkârê. En quelles circonstances son regard a-t-il croisé celui du souverain ? Je l'ignore. Akhenaton n'a jamais voulu me le dire. Je sais seulement que Semenekhkârê lui fit chavirer l'esprit et le cœur.

Pouvait-il se douter qu'en avouant l'amour qu'il éprouvait il tuait la reine et me tuait aussi ? Moi qui avais cru qu'aucun autre homme que moi ne prendrait place dans son cœur ! J'ai toujours su ses infidélités. Tant qu'elles n'avaient été que charnelles, je m'en moquais. Là, il n'était plus question de l'alliance furtive de deux corps, mais de sentiments. J'avais mal. Je saignais. Mais je ne le montrais pas. Je lui dis seulement :

— Mais l'amour, seigneur, tu l'as déjà connu avec « La Belle est venue ». Or tu en parles comme si tu le découvrais.

— Détrompe-toi. Je n'ai jamais connu l'amour. Comment aurais-je pu ? Lorsque l'on m'a mis en présence de Néfertiti, je n'étais qu'un enfant ! Crois-tu qu'un enfant sache ce qu'est aimer ? D'ailleurs, l'amour ne peut vous être imposé. Il s'impose à vous.

Le pharaon leva la main comme pour me mettre en garde.

— Je ne renie rien. J'ai appris à estimer la reine. Je l'ai aimée à ma façon. À sa façon elle m'a aimé. Elle fut ma sœur et mon autre mère. Mais ce que l'on éprouve pour une mère n'a rien de comparable avec ce que l'on ressent pour un étranger ou une étrangère. Car, vois-tu, le couple ne résiste pas si, tout en étant amants, il n'est pas étranger l'un à l'autre.

Comme je ne disais rien, il s'étonna.

— Tu réprouves mon discours ?

Je faillis lui répondre que ce n'était pas son discours que je réprouvais, mais tout son être. Que je le vomissais de me faire tant souffrir sans même s'interroger sur ma capacité à supporter la souffrance. Il avait suffi de ce jeune homme venu du soleil pour que tout s'efface et que mon existence bascule dans les ténèbres. Mon existence et celle de la reine. Pourtant, je me contentai de murmurer :

— Tu es le pharaon.

Ma remarque dut lui déplaire, car ses traits se durcirent :

— Oui. Je suis le pharaon. Le maître de l'Égypte, mais je suis avant tout le maître de mon cœur.

J'osai lui faire remarquer :

— L'Égypte va mal, mon seigneur. Et ton cœur est devenu ton maître.

Il conserva un temps de silence, comme s'il méditait, puis il demanda d'une voix étonnament calme :

— Dis-moi, Anoukis, sais-tu la vraie raison du départ de la reine ?

— N'est-elle pas évidente ? Ne viens-tu pas de me la donner ? Elle ne supporte plus de te partager. Elle craint aussi pour le devenir de l'Égypte. Elle...

— L'Égypte ! L'Égypte ! La gloire de l'Égypte est intemporelle, à l'image du dieu unique. L'Égypte vivra et survivra. Et, crois-moi, son avenir me préoccupe plus que vous ne l'imaginez.

Il se tut et me fixa avant d'annoncer :

— La reine a commis un crime.

J'écarquillai les yeux.

— Oui, répéta Akhenaton. Elle m'a trahi. Elle complotait ! J'en ai été informé. Elle est entrée en rapport avec des prêtres du clergé d'Amon. Ce sont eux qui l'ont influencée. Eux qui lui ont mis dans la tête que je menais le pays à la ruine. Elle les a crus.

Était-ce possible ? Je me gardai de tout commentaire.

Il poursuivit en balayant l'air avec nervosité.

— De toute façon, je pense à l'avenir de l'Égypte. Pour preuve...

Il laissa tomber :

— J'ai décidé de ne plus gouverner seul.

Je réfrénai un sursaut.

— Oui, reprit-il, tu as bien entendu. Je vais prendre un corégent.

Un tremblement me parcourut le corps. Je balbutiai :

— Un corégent ?

— Semenekhkârê.

Je répétai avec peine :

— Semenekhkârê ? Mais... Tu as un fils. Toutankhaton... Que...

— Ne sois pas ridicule. C'est un enfant. Plus tard, quand il sera nubile, il me succédera. Dans deux ans, Semenekhkârê aura atteint l'âge d'homme. Je le ferai couronner à ce moment-là et je lui donnerai pour épouse ma fille aînée, Meritaton.

Il marqua une pause brève avant de préciser :

— Et j'attribuerai à mon nouveau corégent le nom de Nefer-Neferou-Aton.

Je manquai de m'étrangler.

— Le nom de votre épouse ?

— Parfaitement. Quoi de plus naturel, puisqu'il la remplacera ? Et...

J'osai l'interrompre :

— Semenekhkârê n'appartient à aucune noblesse ! Il ne vient de rien. Son sang...

Je ne pus achever ma phrase. Il pointa son index sur moi et s'écria :

— Son sang vaut le tien, Anoukis ! Il vaut celui des plus nobles.

Et il conclut par cette terrible phrase :

— Il vaut celui de la reine !

Je restai sans voix. Par ce cri, il venait de démontrer combien la folie avait submergé son cerveau. Je pris le temps de reprendre mon souffle, d'apaiser un peu les battements du sang dans mes veines, puis je m'inclinai et quittai la salle. Ce fut notre avant-dernière entrevue, loin des regards de la cour. Ce furent aussi les heures les plus douloureuses de toute mon existence.

La reine en exil. L'empire fragilisé. Humilié. Et un roturier partageant le trône du Double Pays.

Tu vois, Keper, mon ami, cette scène je ne l'ai jamais racontée à qui que ce soit. Je tenais à préserver la mémoire de « Celui que j'aimais ». Et, si aujourd'hui je m'autorise à la révéler, c'est parce qu'il existe toujours un temps pour soulever le voile. Parce que les générations à venir s'interrogeront sur la présence de Semenekhkârê, et la soudaine disparition de la reine. Et ce qui m'est apparu méprisable ce jour-là ne l'est plus. Car le temps qui a passé a pansé ma blessure, et je ne vois plus les choses à travers mon épreuve. J'ai pris bien du recul. Finalement, que s'est-il vraiment passé ? En affichant son amour, en prenant tous les risques – entre autres celui de perdre à jamais la reine et l'Égypte –, le pharaon n'a fait que rester fidèle à lui-même. Fidèle à Maât. À la Vérité. L'amour du dieu unique rejoignait celui qu'il éprouvait pour un homme, unique à ses yeux. Le divin et le charnel réunis. À travers sa passion pour Semenekh-kârê, il achevait en quelque sorte son rêve : ni homme ni femme, mais les deux en fusion. À l'image de son dieu.

Voilà. Je t'ai tout dit. J'espère que l'admiration que tu ressentais pour notre souverain n'aura pas été ternie par cet aveu. Je guetterai ta prochaine lettre non sans appréhension. Reçois mon amitié.

Le Caire

Lucas se mit à rire.

— On a l'impression de lire une description des amours de l'empereur Hadrien et du bel Antinoüs. Semenekhkârê aurait donc été l'amant de l'hérétique !

Il se leva en s'étirant.

— Venez. Je meurs de faim.

La jeune femme lui emboîta le pas.

Un instant plus tard, ils marchaient vers l'hôtel Sémiramis en remontant la corniche. L'air était empreint de douceur. À leur droite, une felouque glissait lentement sur les eaux sombres du Nil. La voix d'Oum Kalsoum résonnait quelque part, par-delà le tintamarre des klaxons.

— C'est curieux, observa l'égyptologue. Vous n'avez fait aucun commentaire sur la dernière lettre. Que se passe-t-il ? Vous vous êtes lassée ? Ou vous êtes-vous finalement rendu compte que la dernière scène racontée par le dénommé Anoukis est le couronnement de l'absurdité ?

— Rien de tout cela. Mais à quoi servirait de vous convaincre que la scène en question me paraît tout à fait plausible ? Depuis le début de cette histoire, vous vous êtes braqué. Vous êtes dans votre coquille et vous vous y sentez bien. Je ne veux plus abuser de votre patience.

Le Français lui décocha un coup d'œil amusé.

— Vous voilà bien sage, tout à coup. Néanmoins, j'aimerais avoir votre impression. Pour le plaisir. Vous pensez réellement que Semenekhkârê fut l'amant d'Akhenaton ?

— Je pense que de nombreux indices vont dans ce sens.

Elle s'immobilisa et poursuivit avec ferveur :

— Réfléchissez. À partir de l'an XIV, nous n'avons plus la moindre trace de Néfertiti. Lorsque nous avons rendu visite au docteur Yacoub, vous avez maintenu que l'occupant de la tombe KV55 était certainement Akhenaton. Et, comme je ne vous contredisais pas, vous m'avez interrogée, et je vous ai répondu que je n'y croyais pas et qu'à mon sens il s'agissait d'un autre personnage. Un homme.

Lucas anticipa :

— Semenekhkârê.

— Absolument. Souvenez-vous de la description faite par Theodore Davis. Il découvre la momie et précise ce détail : le bras gauche était plié, la main posée sur la poitrine, tandis que le bras droit était tendu, la main posée sur la cuisse. Or vous n'ignorez pas que c'est là une posture féminine.

— Mais...

— Laissez-moi finir, je vous en prie. Quant à l'âge de la momie, il a été défini à plusieurs reprises. Elliot Smith, le premier, a cité le nombre d'environ vingt-cinq ans. Plus tard, d'autres experts firent le même diagnostic. Après avoir examiné les restes du crâne, le professeur Douglas Derry, à l'instar d'Elliot Smith, contesta l'attribution du corps à Akhenaton, arguant du fait que les épiphyses non soudées et la troisième molaire supérieure droite non sortie indiquaient que l'individu ne pouvait avoir plus de vingt-cinq ans à sa mort. En 1963, le professeur Robert Harrison, de l'université de Liverpool, réexamina à son tour les ossements et conclut également qu'ils appartenaient à un homme âgé de moins de vingt-cinq ans. Tous les égyptologues dignes de sérieux sont d'accord pour admettre qu'Akhenaton a régné dix-sept ans. Qu'il est monté sur le trône aux alentours de sa quatorzième année. Il serait donc mort entre trente et un et trente-deux ans. Dix ans séparent la dépouille de la tombe KV55 d'Akhenaton. En conclusion, il ne peut s'agir du pharaon.

— Très bien. Imaginons que vous ayez raison. Pourquoi en déduire que c'est la momie de Semenekhkârê ?

— L'âge. Nous savons que Semenekhkârê a bien régné après la mort d'Akhenaton, nous savons aussi que son règne n'a pas duré plus d'un an et qu'il serait donc mort dans sa vingtième année, c'est-à-dire l'âge de la momie de la tombe KV55. Et, enfin, nous savons qu'il n'existe pas de trace dans les annales amarniennes de l'existence d'un autre jeune homme que le dénommé Semenekhkârê, ayant joué un quelconque rôle politique ou qui aurait appartenu à la famille royale, mort entre vingt et vingt-cinq ans. De surcroît, souvenez-vous : en 1963, les professeurs Harrison et Battawi avaient noté que certaines parties du squelette retrouvé dans la tombe KV55 témoignaient d'une tendance à la féminité. Par conséquent...

— Mettons, une fois encore, que vous soyez dans le vrai. Où est-il écrit qu'il fut l'amant d'Akhenaton ?

— Il reçoit le propre nom de Néfertiti : Nefer-Neferou-Aton. Il est à plusieurs reprises désigné comme l'« Aimé d'Aton ». Et...

Elle marqua une pause, reprit sa respiration avant de conclure :

— Et il est enterré dans une posture féminine.

Lucas s'esclaffa.

— Vous prenez en compte cette information ?

— Pourquoi diable l'occulterais-je ? S'il fut bien l'« épouse » d'Akhenaton, je ne vois aucun inconvénient à ce qu'il eût été considéré comme tel par ceux qui ont procédé à ses funérailles. Ils n'ont fait que respecter scrupuleusement l'image que le couple offrait de son vivant. Je sais que ma comparaison vous fera pouffer de rire, mais nous pouvons considérer que Semenekhkârê fut d'une certaine façon la « reine » du pharaon.

L'égyptologue resta silencieux un moment, puis :

— Nous ne sommes plus très loin du Sémiramis. J'ai des crampes à l'estomac.

Le Caire, le lendemain

Lucas posa sur la table un ouvrage à la couverture jaunie sur le bureau et déclara :

— Je pense qu'avant d'aller plus loin il serait nécessaire que nous fassions le point sur cette affaire Semenekhkârê. Je ne sais pas si vous avez lu l'ouvrage du chercheur français Marc Gabolde[73], mais il y défend une hypothèse à laquelle j'adhère totalement et qui est diamétralement opposée à la vôtre. En avez-vous entendu parler ?

La femme fit non de la tête.

— Il est acquis qu'un personnage portant le nom de Semenekhkârê Nefer-Neferou-Aton a existé et régné. Ce personnage aurait bien épousé Meritaton. Or, de toute évidence, ce nom de Semenekhkârê est atypique, construit bizarrement. Un nom qui, en quelque sorte, aurait été fabriqué à l'occasion du couronnement du personnage. Combien de temps a-t-il régné ? Difficile de le préciser. On trouve sur une jarre d'Amarna une indication : « An I, vin du domaine de Semenekhkârê ». C'est tout. On peut donc, sans grand risque d'erreur – et sur ce point je vous rejoins –, fixer la durée de son règne à un an et quelques mois. Seulement voilà : Semenekhkârê n'est pas celui qu'on croit. Certainement pas celui que décrivent vos charmants épistoliers.

Judith croisa les bras en souriant.

— Qu'allez-vous m'inventer ?

— Détrompez-vous. Je n'ai aucune imagination. Je m'appuie sur une thèse développée par un scientifique.

Il prit une courte inspiration et enchaîna :

— Écoutez attentivement cette histoire : après le départ de Néfertiti, Akhenaton épouse sa fille, Meritaton. De fait, elle est promue au rang de reine afin de reprendre le rôle jusque-là dévolu à sa mère. Elle est corégente avec son père. Après la mort de celui-ci, elle monte sur le trône d'Égypte. Elle n'a point d'époux. Elle écrit alors une lettre au roi hittite Souppilouliouma pour lui demander la main de l'un de ses fils. Nous possédons cette lettre retrouvée dans la geste de Souppilouliouma, rédigée sous le règne de son fils Moursil II. Le texte relate des actions militaires, mais il est ponctué par les passages suivants auxquels, je le précise, manquent des mots, parfois des phrases entières.

L'égyptologue entrouvrit l'ouvrage posé devant lui et lut :

— « *Au pays de Qadesh que mon père avait conquis, les fantassins et les chars d'Égypte vinrent et attaquèrent le pays de Qadesh.* » Après cette incise, le récit se poursuit avec celui de la campagne en pays hourrite, au cœur du royaume du Mitanni, puis, de nouveau, il est question des activités égyptiennes : « ... *Tandis que mon père était en bas dans le pays de Qarqémish, il envoya Loupakki et Tarkhoundazalma dans le pays d'Armq. Ils partirent donc et attaquèrent l'Armq et rapportèrent déportés, bétail, ovins, devant mon père. Mais quand les gens d'Égypte apprirent l'attaque sur l'Armq, ils prirent peur. Et comme, de plus, leur souverain Nipkhourouriya était mort, la reine d'Égypte, qui était l'épouse royale, envoya un messager à mon père et lui écrivit ce qui suit : "Mon mari est mort. Je n'ai pas de fils. Mais ils disent que tes fils sont nombreux. Si tu me donnes un de tes fils, il sera mon époux. Je ne prendrai jamais un de mes serviteurs pour mari ! J'ai peur." Quand mon père entendit cela, il convoqua les notables en conseil et leur dit : "Une telle chose n'est jamais arrivée de ma vie entière." Alors, mon père envoya en Égypte Hattoushaziti, le chambellan en lui disant : "Va et rapporte-moi la vérité. Peut-être veulent-ils me tromper ! Peut-être ont-ils un fils de leur roi ! Rapporte-moi la vérité."* » La relation de la prise de Qarqémish est intercalée ici. Le récit reprend avec le retour du messager royal : « *Quand vint le printemps, Hattoushaziti revint d'Égypte et le messager d'Égypte, le noble Hani, vint avec lui. Alors, comme mon père, lorsqu'il envoya Hattoushaziti en Égypte, lui avait donné les instructions suivantes : "Peut-être ont-ils un fils de leur roi ! Peut-être veulent-ils me tromper et ne désirent-ils pas mon fils pour en faire un roi !" la reine d'Égypte répondit à mon père dans une tablette en disant : "Pourquoi parles-tu de la sorte : 'ils veulent me tromper' ? Si j'avais un fils, aurais-je écrit à une nation étrangère ? C'est une honte pour moi et mon pays ! Tu ne m'as pas crue et tu m'as même parlé de la sorte ! Celui qui était mon mari est mort et je n'ai pas de fils. Jamais je ne prendrai un de mes serviteurs pour mari ! Je n'ai écrit à aucune autre nation étrangère. Je n'ai écrit qu'à toi. On dit que tes fils sont nombreux. Donne-moi un de tes fils. Pour moi il sera mon mari et pour l'Égypte il sera roi !" Alors, comme mon père était en de bonnes dispositions il accéda à la demande de la femme et s'occupa de la question du fils.* »

Lucas s'interrompit pour faire observer :

— Ce fils, que le roi hittite décide d'envoyer, nous le connaissons. Il s'appelle Zannanza. Il arrivera en Égypte, épousera Meritaton et adoptera le nom de couronnement de Semenekhkârê. Ce texte démontre que, réagissant tardivement à l'appel de plusieurs vassaux de la côte libanaise et de la Damascène[74], excédés par les incursions hittites, Akhenaton s'est finalement décidé à envoyer une expédition vers Qadesh.

Judith répliqua avec force :

— Mais il n'existe que des présomptions quant à la date précise à laquelle Zannanza se serait rendu en Égypte, aucune certitude. Nous n'avons aucun témoignage sur sa présence dans le pays. Et voici le plus important : dans la tombe de Toutankhamon, on a retrouvé gravé sur un vase en calcite le nom d'Akhenaton accolé à celui de Semenekhkârê. Ce qui prouve non seulement qu'il s'agit d'un personnage qui n'a rien à voir avec le prince hittite, mais aussi qu'une corégence a bel et bien existé entre les deux hommes.

— Je reconnais que ce vase constitue une énigme. Mais, malgré cette inscription troublante, il existe une très forte possibilité pour que Semenekhkârê et Zannanza soient la même personne.

— Dans ce cas, il nous faudrait admettre qu'il y eut pendant près d'un an et demi un étranger, un prince hittite de surcroît, à la tête de l'Égypte. Je suis désolée, professeur, mais je trouve cela impensable !

L'égyptologue ouvrit la bouche pour protester, mais elle ne lui en laissa pas le temps.

— En citant les passages hittites, vous avez omis un détail majeur. Si ma mémoire ne me trahit pas, nous possédons des écrits qui laissent clairement entendre que

Zannanza n'a jamais atteint l'Égypte parce qu'il est mort en cours de route, assassiné.

Elle pointa son index sur l'ouvrage ouvert devant Lucas.

— Vous avez bien un mot là-dessus ?

L'égyptologue acquiesça avec une mauvaise grâce évidente.

Judith s'empara du livre et se lança à la recherche du passage qui l'intéressait. Au bout de quelques minutes, elle poussa un petit cri de satisfaction et récita :

— « *Quand ils apportèrent cette tablette, ils parlèrent ainsi : "Les hommes d'Égypte ont tué Zannanza", et ont rapporté ceci : "Zannanza est mort. Et lorsque mon père entendit la nouvelle du meurtre de Zannanza, il commença à se lamenter au sujet de Zannanza et, à l'adresse des dieux, il parla ainsi : 'Ô dieux ! Je n'ai rien fait de mal, pourtant les hommes d'Égypte ont fait cela contre moi, et ils ont en plus attaqué la frontière de mon pays !' Et ceci : "En ce qui concerne le fait qu'il n'y avait jamais eu de sang versé entre nous auparavant : le sang versé entre nous depuis n'est pas une chose juste. Du fait que du sang a été versé, ceci est devenu une affaire de crime majeur. Si vous dites que vous avez peut-être fait du mal à mon fils, alors vous l'avez en fait peut-être bien tué !"* »

Le Français secoua la tête :

— À votre tour, vous omettez un détail : la mort de Zannanza fut annoncée au roi hittite par un courrier égyptien. Ce qui signifie que le prince était en Égypte.

— Ou dans un territoire relevant de l'autorité égyptienne.

— Dans les deux cas, c'est ma théorie qui prévaut, parce que si Zannanza avait été assassiné en cours de route, c'est un messager hittite de son escorte qui aurait dû être envoyé à la cour de Souppilouliouma !

Judith s'emporta :

— Et où êtes-vous allé chercher que Meritaton a hérité du trône après la mort de son père ? Qu'elle fût promue au rang de reine afin de reprendre le rôle dévolu à sa mère disparue, passe encore, mais...

— C'est une supposition.

Il ajouta très vite :

— Fondée...

La jeune femme se mit à rire.

— Dans ce cas, autorisez-moi à vous en proposer une autre, tout aussi... fondée. Vers l'an XIV, Néfertiti disparaît brusquement de la scène. Nous n'avons aucune trace de son inhumation. Aucune information sur la date ou les conditions de sa mort. On peut donc imaginer le scénario suivant : en fait, c'est elle et non sa fille qui fut élevée au titre de corégente, et, après la mort d'Akhenaton, elle règne seule, sous un nouveau nom, celui de Ankhekheperourê Semenekhkârê.

Elle posa les poings sur ses hanches et demanda :

— Cette supposition vous convient-elle ?

Lucas haussa les épaules et reprit sa lecture.

Keper à Anoukis

Je n'ai point été étonné par tes révélations, ami. Je me doutais bien que la rupture qui survint entre la reine et le souverain, dans la quatorzième année du règne, n'avait pas été provoquée par un simple différend d'ordre politique. Nous savions aussi qu'un jeune homme avait pris de l'importance auprès du pharaon. Son nom circulait. Toutefois, nous n'avions pas de détail précis sur l'origine de ce personnage. Du moins, pas à ce moment. Et puis, tout s'est passé si vite. Néfertiti partie, quelques mois s'écoulèrent, puis survint cette aube funeste du mois de *peret*, alors que la nature renaissait de sa torpeur. Je tiens de l'une des servantes de la reine le détail de ce qui s'est produit. Cela faisait plusieurs jours que « La Belle est venue » était alitée. Le teint blême, les yeux cernés de bistre, les lèvres sèches, elle offrait, paraît-il, la vision d'une vieille femme, brisée par la vie, aux prises avec cette maladie qui avait déjà emporté ses enfants et la reine mère. Et, comme la reine mère, on l'entendit délirer. Certains soirs, elle se redressait dans son lit et, le regard halluciné, elle chuchotait – comme si elle craignait d'être entendue – le nom d'Amon. Oui, tu as bien lu : Amon. La servante m'a affirmé avoir même surpris la reine en train d'adresser des louanges à ce dieu honni. Craignait-elle la malédiction des prêtres ? N'avait-elle fait toute sa vie qu'adhérer au dieu unique contre son gré, afin de ne point heurter son époux ? Comment savoir ? Elle s'éteignit comme la flamme d'une bougie. S'il n'y avait eu ses pleureuses à ses côtés, elle serait partie dans la solitude. Dans l'heure qui suivit, le pharaon fut informé du décès de la reine. Je ne possède aucune information sur la manière dont il a réagi. Peu de temps après, il nommait officiellement Semenekhkârê corégent. Quel bouleversement !

À présent, je souhaite partager avec toi un événement plus personnel. Figure-toi qu'hier j'ai eu la visite de mon fils. Je t'avoue avoir été surpris. Fier comme il est, je ne m'attendais pas qu'il revienne frapper à ma porte. Il n'est pas venu seul. Son épouse, Nebsénit, l'accompagnait. Tu n'imagineras jamais ce qu'ils étaient venus m'annoncer : je vais être grand-père ! Peux-tu croire à pareil bonheur ? Dire que toutes ces années nous pensions que Nebsénit était stérile ! Apparemment, nous nous trompions. La vérité était autre. C'est Narmer qui me l'a révélée. Nebsénit était terrorisée à l'idée de connaître les douleurs de l'enfantement ; aussi, afin d'éviter de tomber enceinte, elle avait élaboré secrètement, sur les conseils de sa voisine, un mélange de coloquintes, de feuilles d'acacia, de dattes. Le tout pilé puis mélangé avec du miel. Elle imprégnait ensuite un tampon de cette mixture qu'elle plaçait dans son vagin ! Les femmes sont vraiment capables de tout. Ce n'est qu'il y a une dizaine de mois qu'elle a tout avoué à son mari. Elle n'a pas eu le choix. Un matin, après un rapport, Narmer s'est étonné de constater que son membre semblait recouvert de... miel !

Le tampon avait dû glisser. C'est à la fois triste et cocasse. Triste parce qu'ils ont perdu cinq ans à ce petit jeu. Je me suis hâté de conseiller à Nebsénit un bon médecin tout en sachant que ma recommandation était superflue. L'Égypte possède les meilleurs médecins du monde connu. En tout cas, la perspective d'être prochainement grand-père a redonné de l'énergie à mon cœur qui s'est remis à battre comme du temps de sa prime jeunesse. J'ai jeté mes potions, mes herbes médicinales et j'ai repris la marche au bord du Nil. Tout recommence, ami Anoukis ! La vie est belle.

Anoukis à Keper

Le dieu unique soit loué ! Si tu savais comme ta dernière missive m'a enchanté ! Enfin te voilà redevenu l'homme que j'ai connu. J'ai annoncé la nouvelle à mon épouse qui m'a chargé de te féliciter. C'est un grand moment. Moi qui l'ai connu, je peux t'assurer que tu vas vivre des heures d'indicible bonheur. Au contact de la jeunesse, la vieillesse se fait toute petite, elle rougit de ses faiblesses, et le corps va puiser de nouvelles ressources vitales. C'est bien, ami. Je peux te le dire à présent : tu m'inquiétais. Non en raison de ta maladie, mais parce que tu me donnais l'impression d'avoir baissé les bras, de ne plus penser qu'à ton départ. En deux mots : tu gémissais sur ton sort. Et il n'y a rien de pire ! Tes maux le savent, et continuent de te torturer de plus belle. Heureusement, tout cela est du passé. Lorsque, bientôt, tu tiendras ton petit-fils entre tes bras, tu ne penseras plus qu'à lui. À lui seul.

Ah ! la jeunesse ! C'est probablement l'une des raisons pour lesquelles Akhenaton est tombé éperdument amoureux de son éphèbe. Il espérait sans doute renouveler ses forces à son contact. Hélas, je crois que sa passion a produit sur lui l'effet inverse.

J'étais présent lorsque le messager est venu annoncer au pharaon la mort de Néfertiti. Dans un premier temps, Akhenaton ne manifesta aucun signe d'émotion. Il demeura figé, silencieux, le regard fixe. Ce fut seulement une fois le messager reparti qu'il se tourna vers moi et déclara la voix tremblante :

— Tout est consommé.

Et, comme je m'étonnais de ce commentaire, il ajouta :

— Une partie de moi s'en est allée. L'autre ne tardera pas à me quitter aussi. Je vais mourir.

C'est alors que, pour la première fois, j'ai pris conscience de la grande lassitude qui marquait ses traits et combien il paraissait vieilli. J'en ai conclu qu'il était malade. De cette maladie qu'il avait contractée dès sa naissance ; celle qui lui avait conféré cette silhouette mi-homme, mi-femme. La moitié supérieure de son corps s'était extraordinairement rétrécie, tandis que la moitié inférieure, au-dessous de la taille, avait presque doublé de volume. Il avait les hanches et le bassin hypertrophiés.

— Oui, reprit-il, tout est consommé. Néfertiti partie, je n'ai plus de protection. C'était elle, mon bouclier. Je sais que des choses se trament depuis quelque temps.

— Tu exagères, répliquai-je avec conviction, je n'ai jamais eu vent du moindre complot. Qui chercherait à te nuire ?

Il ricana :

— Qui ? Mais serais-tu fou, mon brave Anoukis ? Qui ? Tout le monde ! Le clergé d'Amon, qui n'a rien perdu de sa vindicte ! Des soldats, qui me reprochent d'être incapable de verser le sang, fût-ce le sang de mon ennemi. Et peut-être même le peuple qui m'en veut de l'avoir privé de ses petits dieux.

Je lui fis remarquer :

— Je ne voudrais pas te décevoir, mais la grande majorité du peuple d'Égypte n'a probablement jamais entendu parler de ton dieu unique. Nombreux sont les gens dans les campagnes qui continuent de louer Ptah, ou Hathor, ou – j'hésitai avant d'articuler : « Amon ».

Il serra les lèvres et se contenta de déclarer avec orgueil :

— Que m'importe ! Puisque, moi, je sais qu'au bout du compte le dieu unique triomphera. La toute-puissance de l'émanation de Rê recouvrira le monde. Un jour, on se souviendra que j'avais raison. Et les peuples de la terre clameront : « Innombrables sont tes actes, mais cachés au regard. Ô toi, dieu unique, il n'en est aucun autre tel que toi ! »

Manifestement, le moment d'abattement qui l'avait soudainement saisi à l'annonce du décès de Néfertiti s'était évanoui. Il releva le front et m'annonça :

— Il y a quelques jours, Meritaton m'a donné un enfant.

Je pensai : « Une fille, sans doute. »

Il confirma :

— Nous l'avons appelée Meritaton-ta-cherit. Et, dans une semaine, quand Meritaton se sera remise de ses couches, je la répudierai afin qu'elle épouse Semenekhkârê que j'introniserai officiellement corégent.

Il n'avait donc pas abandonné son idée. Et la mort de Néfertiti ne l'avait en rien dévié de ses projets.

Je posai une question naïve :

— Es-tu convaincu d'agir pour le bien de l'Égypte ?

J'ajoutai hâtivement :

— Et pour ton bien ?

Il s'avança lentement vers moi, à un souffle de mon visage.

— Écoute-moi, Anoukis. Je suis né et j'ai grandi dans la solitude. Ma mère ne m'a jamais vu. Et quand son regard tombait sur moi, il était vide. Vide de tendresse, vide comme la nuit, lorsque, de leurs tanières, sortent les chacals. Seul mon frère aîné a eu droit à tous les égards. Il était le futur pharaon, le futur maître du Double Pays. Je n'étais rien. Ce corps...

Il passa sa paume le long de son visage, de son bassin, de ses membres inférieurs avec un air où je notai presque de la répulsion.

— Ce corps m'a valu le mépris des autres. Crois-tu que je n'ai pas entendu qu'on ricanait dans mon dos ? Qu'on se gaussait de me voir si... (il parut chercher le mot) si singulier. Pourquoi ? Parce que j'étais tout en sensibilité, en fragilité, parce que je détestais la chasse et que les prouesses physiques m'étaient indifférentes.

Il marqua une pause, puis :

— Et il y eut Néfertiti. J'ai adoré sa force. Très vite, j'ai trouvé en elle ma part masculine. Nous nous complétions admirablement. Notre complicité était immense. Seulement voilà, deux éléments manquaient à notre union. Le premier a pour nom l'amour. Il y avait de la tendresse entre nous, mais point d'amour. Il y avait de l'amitié entre nous, mais point d'amour. Lorsque je dis amour, je parle de ce sentiment qui nous permet d'affronter les mesquineries du monde et qui nous redonne vie tous les matins. Le second élément qui nous a fait défaut avait trait à ce que d'aucuns me reprochent d'avoir négligé : l'avenir de l'Égypte. Point d'héritier mâle ! Six filles, sans compter celles que Néfertiti a perdues en couches. Six filles ! Penses-tu sincèrement que la situation ne m'a pas brisé ? Ne comprends-tu qu'insensiblement un gouffre s'est creusé entre la reine et moi ?

Je risquai :

— Mâle ou femelle, la femme n'est pas toujours en cause, me semble-t-il. Néfertiti...

— Le jour où j'ai fait l'amour à Kiya, elle m'a donné un fils. Aurais-tu oublié ? Il s'appelle Toutankhaton.

— Certes, mais...

Il ne me laissa pas poursuivre.

— La naissance de ce fils n'a fait que creuser un peu plus ce gouffre que j'évoquais. Ensuite, Néfertiti a pris peur. Elle s'est mise à douter de ma vision, du dieu unique. Elle me harcelait, me tourmentait nuit et jour pour que je revienne à Amon et que je lance mon armée sur les Hittites. Elle aurait même voulu que nous abandonnions la cité de l'Horizon et que nous revenions à Thèbes. En vérité, elle parlait sous l'influence de personnages pervers et ambitieux. Je ne citerai que Horemheb.

Il leva son index.

— Tu te souviendras de mes propos : un jour viendra où ce parvenu se hissera sur le trône d'Égypte. Il est capable de tout, même de tuer pour parvenir à ses fins. Comme tous les soldats, il ne jure que par le glaive.

Il prit une profonde inspiration :

— Et, finalement, la lumière s'est glissée dans les ténèbres : mon regard a croisé celui de Semenekhkârê. Et je revis ! Semenekhkârê est mon bien, il est ma chair. Il coule dans mes veines.

Il conclut :

— Voilà pourquoi rien ni personne ne m'empêchera de lui faire gravir les marches du trône.

Je conservai le silence, les oreilles pleines des mots que je venais d'entendre. Que dire ? Aucun argument n'eût été valable. Aucun mot n'eût eu assez de poids. J'aurais pu lui faire à nouveau remarquer que Semenekhkârê n'était pas de sang noble. Il m'aurait rétorqué, fort justement d'ailleurs, que la reine Tiyi ne l'était pas non plus, et Néfertiti pas d'avantage. Comme je te l'ai déjà écrit, il était aveuglé par l'amour.

Après les soixante-dix jours rituels d'embaumement, la reine fut enterrée dans la plus grande discrétion dans la nécropole royale. Elle s'y trouvait encore le mois passé mais, pas plus tard qu'avant-hier, j'ai appris que des inconnus avaient profané sa tombe et dérobé le sarcophage. Où est-elle à présent ? Le saurons-nous jamais ? Quelques semaines après les funérailles de la reine, le couronnement du corégent se déroula comme Akhenaton l'avait souhaité, discrètement, dans l'une des salles de l'extrémité sud du palais.

Mais il est tard, je dois te quitter. Je t'embrasse affectueusement, ami. Que la joie d'être grand-père ne t'empêche pas de m'écrire.

Le Caire

Judith commenta :

— Croyez-vous que le sarcophage ait pu être dérobé ?

— Que vous répondre ? Le fait qu'on ne l'ait pas retrouvé plaide dans ce sens. Pas plus tard qu'en juin 2003, une égyptologue britannique, Joann Fletcher, nous a annoncé avoir identifié les restes de la reine parmi trois momies découvertes en 1898 dans une tombe de la vallée des Rois par l'archéologue français Victor Loret. « Après douze années passées à rechercher Néfertiti, c'est probablement l'expérience la plus extraordinaire de ma vie », a même déclaré Mrs Fletcher dans un communiqué publié par *Discovery Channel*, la chaîne qui a financé l'expédition. Elle a quand même eu la conscience professionnelle de préciser : « Bien que nous ne puissions parler pour l'instant que de forte probabilité pour ce qui est de l'identité de la momie. » Fletcher s'était intéressée à la tombe dès juin 2002, après avoir identifié une perruque de type nubien portée par les femmes de la famille royale durant le règne d'Akhenaton. Cette perruque a été découverte près des trois momies non identifiées, celles de deux femmes et d'un jeune garçon. Or l'une de ces momies portait un collier en col de cygne comparable à ceux de la reine. Fletcher a également remarqué qu'elle possédait un bandeau frontal, des bijoux sur la poitrine, qu'elle avait le lobe de l'oreille percé de deux trous et le crâne rasé. Lors d'un examen de la momie, les scientifiques ont découvert que le bras était replié sur la poitrine et que les doigts enserraient un sceptre royal. Or seules les momies de pharaons et de reines ont le bras positionné de la sorte.

— Ce qui ne prouve toujours pas qu'il s'agit de Néfertiti.

— C'est vrai. Aussi, afin de confirmer son identité, deux experts britanniques, Damian Schoffield de l'université de Nottingham et Martin Evison de l'université de Sheffield, ont utilisé leurs compétences dans le domaine de l'investigation médico-légale, en passant la boîte crânienne de la momie aux rayons X. Ni l'un ni l'autre ne connaissaient l'identité supposée de leur « victime ». Ils sont tous deux spécialisés dans la reconstitution de visages à partir de crânes lors de meurtres dont l'identité des victimes est inconnue. Les deux hommes ont mis au point un logiciel d'ordinateur à images 3-D qui a quadrillé le crâne, dans lequel ils ont placé des marqueurs pour indiquer les endroits où les tissus humains devaient être appliqués. Puis ils ont ajouté les muscles faciaux pour donner au visage son aspect et sa morphologie. Finalement, un graphiste a posé la texture de la peau, les yeux, la couleur, les lèvres. Au vu du résultat final, tous furent surpris par les similarités avec le buste de Néfertiti exposé au Musée égyptien de Berlin. Néanmoins, ils ont précisé que cette reconstruction ne prouvait toujours pas que le crâne appartenait réellement à Néfertiti.

— Rien d'évident...

— Selon Marc Gabolde, l'hypothèse selon laquelle il s'agit de la momie de Néfertiti repose sur le fait que celle-ci portait un collier et une perruque de style nubien, mais, précise-t-il, ce sont des arguments assez faibles, car ce ne sont pas là des caractéristiques propres à Néfertiti. Au musée du Caire, il y a cinq ou six autres momies qui ont les mêmes caractéristiques, et c'est la seconde fois qu'on prétend avoir découvert Néfertiti dans le même ensemble de momies. De même, Susan James, égyptologue de l'université de Cambridge, s'est déclarée sceptique en rappelant que des données connues et publiées *avant* l'expédition de Fletcher indiquent qu'il est peu probable qu'il s'agisse de la momie de Néfertiti. Actuellement, le débat semble revenir au point de départ, puisque certains spécialistes ne remettent plus en question l'identification royale de la momie, mais bien son sexe. En effet, des archéologues égyptiens affirment qu'il s'agit en fait d'un squelette *masculin*, ce qui contredit la thèse soutenue par l'experte britannique. Selon le Conseil suprême égyptien des antiquités, les examens montrent que la dépouille est celle d'un individu de sexe masculin âgé de seize à dix-neuf ans. Le département d'archéologie de l'université d'York, pour lequel travaille Mrs Fletcher, maintient *mordicus* qu'il s'agit d'une femme entre dix-huit et trente ans, et justifie sa position par les caractéristiques des os pelviens et de la poitrine. Mais le Conseil n'en démord pas : « La largeur des hanches indique que c'est un garçon, et non une fille. » Steven Buckley, de l'université de York, rappelle quant à lui que la momie avait été initialement identifiée par Victor Loret comme étant effectivement celle d'un sujet masculin en raison de son crâne rasé. Pour conclure, l'égyptologue anglaise Susan James, qui a étudié les trois momies et qui s'est déclarée sceptique sur les conclusions de sa collègue, soutient que seuls des tests d'ADN pourraient mettre fin au débat.

Lucas écarta les bras, fataliste.

— L'impasse.

Keper à Anoukis

Je ne savais pas que la nécropole royale avait été profanée. Maudit soit celui qui a accompli une telle ignominie !

À présent, je réclame toute ton attention. Les deux années qui s'écoulèrent ne laissaient rien présager de bon. Ce que t'a laissé entendre Akhenaton quant aux menaces qui pesaient sur lui n'était pas pure chimère ni délire de sa part. Ils l'ont tué. Oui, Anoukis, ils ont osé. Ils l'ont tué en recourant à la science, afin que sa mort paraisse naturelle. Tu n'ignores pas qu'il existe des poisons subtils et suffisamment raffinés pour passer inaperçus. Qui ? Ce ne sont pas les assassins potentiels qui manquaient : fanatiques d'Amon, fanatiques tout court, généraux... En cette année XVII, ceux qui souhaitaient que s'arrête le règne du dieu unique étaient légion. Que le pharaon ait pu être assassiné ne m'attriste pas, puisque la mort est une autre vie. Ce qui m'offense et me fait monter les larmes aux yeux, c'est que sa dépouille ait disparu comme celle de la reine. Dans un premier temps, nous savons qu'elle a été inhumée dans la nécropole royale. Mais ensuite ? Que s'est-il passé ? As-tu quelques indices sur le sujet ?

Anoukis à Keper

Non, ami Keper, je ne possède aucun indice. Pour ce qui est de la fin d'Akhenaton, je ne mets pas tes propos en doute. Je suis certain qu'ils l'ont assassiné et je crois pouvoir affirmer de quelle façon ils s'y sont pris. Le soir où « Celui que j'aimais » agonisait, j'ai été appelé par Semenekhkârê. Ce fut un moment tragique dont je garde la vision et l'odeur. Il se dégageait de la chambre où reposait le pharaon des effluves pestilentiels. Je n'ai jamais compris à quoi cela était dû. Akhenaton reposait sur le dos, les yeux mi-clos. Il râlait. Et une écume perlait aux commissures de ses lèvres. Hatiay, son médecin, était présent. Je m'approchai. Mon cœur battait la chamade. Je balbutiai : « Il ne va pas mourir. » Hatiay me répondit : « Hélas ! »

Il se pencha sur le lit, passa son bras derrière les épaules du souverain, le souleva légèrement et lui fit boire une potion. Sur le moment, je n'ai pas osé m'enquérir de son origine et de sa composition. Un temps passa. Mille ans, je crois. Ou peut-être une heure. Par intermittences, les sanglots de Semenekhkârê brisaient le silence. La désespérance qui se dégageait de tout son être me frappa. On eût dit un enfant qui perdait son père. Puis, tout à coup, les râles cessèrent. Dans un élan spontané et, je le reconnais, exagéré, je pris la main du pharaon et la serrai de toutes mes forces comme si je tentais de le retenir. C'était puéril. Il a ouvert grand les yeux. Il a fixé le plafond à peine illuminé par la flamme des torchères et il a murmuré d'une voix haletante : « Voici que dans les femmes l'embryon est formé, voici que dans les hommes est créée la semence... » Ce furent ses derniers mots.

La suite, tu la connais. Ils l'ont enterré aux côtés de son épouse au sein de la nécropole royale bâtie dans la cité de l'Horizon. Et, comme pour Néfertiti, la tombe a été profanée, et sa dépouille déplacée. Où l'a-t-on mise ? J'ai eu beau interroger des personnes ici et là, je n'ai jamais eu de réponse satisfaisante. D'ailleurs, mon enquête a très vite tourné court. Prononcer le nom d'Akhenaton est devenu motif d'agression et de conflit. J'ai cru comprendre néanmoins que le couple reposait dans un endroit tenu secret, quelque part dans l'ancien site. Là où avant l'avènement du dieu unique reposaient les souverains, les Grandes Épouses royales, leurs enfants et les dignitaires. Je veux parler de la vallée des Rois.

Maintenant, j'aimerais te confier mon opinion sur la manière dont ils ont tué le souverain. Quelques jours après sa mort, je me suis entretenu avec Semenekhkârê. J'ai essayé d'en savoir plus sur la maladie qui avait frappé Akhenaton. Le pauvre n'a rien pu me dire, sinon que depuis quelques mois le roi se plaignait régulièrement de douleurs à l'estomac. Ani, son médecin, avait diagnostiqué une constipation chronique et lui avait prescrit de boire tous les jours une préparation élaborée par ses soins. Bizarrement, au lieu de s'améliorer, l'état du souverain empirait. Je me suis alors rendu chez Neferi, ton médecin, qui, je te le rappelle, était aussi médecin à la cour. Je lui ai parlé de cette mystérieuse préparation. D'abord, il s'est contenté de répondre de manière évasive. Je n'étais pas dupe. Je voyais bien que mes questions l'embarrassaient. J'insistai. Je le harcelai. Alors il a fini par me confier – en me faisant jurer sur tous les dieux que jamais je ne le répéterais – que la mixture en question comportait du calomel, un médicament censé guérir les maux d'estomac et faisant office de purgatif. À première vue, donc, le traitement prescrit par Ani semblait conforme aux règles de la médecine. À première vue seulement. Car Neferi m'a avoué que si l'on en vient à mélanger le calomel à certaines herbes connues des magiciens et de certains médecins, et surtout si l'on dépasse les doses, alors la mort survient à coup sûr. Ainsi, il n'y avait plus de doute possible : on avait bien assassiné le souverain.

Que dire de plus ? Semenekhkârê est mort un an à peine après le début de son règne. Toutankhaton lui a succédé alors qu'il avait à peine neuf ans. Trop jeune pour gouverner. Trop jeune pour comprendre. À peine sur le trône, il s'est retrouvé encadré par le divin père Ay et par Horemheb. Ce sont eux qui gouvernèrent l'Égypte durant les dix ans de règne du fils d'Akhenaton. Leur première décision fut de rétablir l'ancienne religion et de quitter la cité de l'Horizon. Les prêtres d'Aton furent la proie de leur vindicte, et, jour après jour, la ville se vida de ses habitants. Toutankhamon est mort alors qu'il entrait dans sa dix-neuvième année, dans des conditions, elles aussi, mystérieuses. Ay monta alors sur le trône et gouverna cinq ans. Aujourd'hui, nous voici toi et moi sous la botte de Horemheb. Le bruit des marteaux continue de retentir dans Karnak et à travers toute l'Égypte. Les profanateurs s'en donnent à cœur joie. La cité de l'Horizon est déserte. Mis à part quelques chacals qui viennent y rôder la nuit, plus personne ne vit dans ce qui fut le grand rêve éveillé de l'homme que nous aimions.

Fort des informations que tu m'as communiquées et de tous nos recoupements, je vais écrire cet opuscule. Il le faut. Je ne veux pas que son nom sombre dans l'oubli. Ne lui ai-je pas dit, lorsqu'il semblait désarçonné par la perte de la petite Maketaton : « C'est l'oubli qui tue. Non la mort. »

Adieu, mon frère Keper, je te serre contre mon cœur.

J'ai retrouvé la trace de Mererouka, ton harpiste. Je lui ai fait savoir que tu désirais sa présence. Mais, entre nous, je crois que tu n'as plus besoin de lui. Ton petit-fils sera dorénavant ta plus belle musique.

Le Caire

— Pendant que vous lisiez, annonça Judith, j'ai vérifié. Coïncidence ou non, effectivement, le calomel est bien une sorte de chlorure mercureux qui se présente comme une poudre blanche sans saveur, que l'on a longtemps utilisée comme purgatif et antiseptique intestinal. Il est aussi précisé que, dans certaines conditions, ce produit peut se transformer dans l'organisme et devenir toxique. Détail anecdotique : en juillet 1996, les journaux américains annonçaient que le département de la Santé de l'État du Texas interdisait l'usage et retirait de la vente une crème de beauté préparée au Mexique et distribuée aux États-Unis. Il avait été constaté que plusieurs femmes avaient été prises de malaises après l'avoir utilisée. L'analyse montra que la crème contenait du calomel.

L'égyptologue glissa le dernier feuillet dans un rouleau de cuivre. Puis il se leva et gagna la fenêtre ouverte sur les jardins du musée.

— La thèse de l'assassinat d'Akhenaton est aussi douteuse que celle qui voudrait que Napoléon eût été empoisonné à l'arsenic par les Anglais à Sainte-Hélène. Tant que nous n'aurons pas retrouvé la momie, tout est conjecture.

Il se hâta de faire observer :

— Et puis, si nous nous appuyions sur vos hypothèses, nous pourrions tout aussi bien imaginer que le pharaon est mort victime de cette affection suggérée par le docteur Yacoub.

— Le syndrome de Barraquer et Simons ?

— Parfaitement. Anoukis nous dit bien dans l'une de ses dernières lettres que la moitié supérieure du corps d'Akhenaton s'était extraordinairement rétrécie et que la partie inférieure avait presque doublé de volume. Il conclut en précisant que les hanches et le bassin étaient hypertrophiés. Cette description semble donc accréditée l'hypothèse d'une maladie. Qu'en pensez-vous ?

La jeune femme ne répondit pas. Elle rejoignit l'égyptologue près de la fenêtre et demanda :

— À présent que nous avons achevé notre lecture, êtes-vous toujours convaincu que ces lettres sont des faux ?

Philippe Lucas se retourna et considéra Judith avec un large sourire.

— Oui et non.

— Que voulez-vous dire ?

Il eut un imperceptible temps d'hésitation.

— Si je vous révèle la vérité, m'en voudrez-vous ?

— Je ne comprends pas. Pourquoi cette mise en garde ?

Un nouveau temps d'hésitation, puis :

— Je connais l'auteur.

La jeune femme écarquilla les yeux.

— Oui. L'auteur, c'est... moi.

Elle mit sa main sur sa bouche pour réprimer un cri.

— Vous ?

— Moi.

— Vous voulez dire que vous avez fabriqué ces lettres de toutes pièces ?

— Avec la complicité de Hassan, notre ami égyptologue. Ensuite, je l'ai chargé de vous les transmettre.

Le visage de Judith s'empourpra. Cette fois, elle explosa :

— Goujat ! Vous êtes un goujat !

— Un scientifique. Ce n'est pas pareil.

— Mais pourquoi ? Pour quelle raison ?

Elle semblait au bord des larmes.

Il lui prit la main.

— Calmez-vous. Je n'ai pensé qu'à votre livre. Celui que vous préparez sur notre pharaon.

— Mon livre ?

— Vous m'avez bien dit que ce projet vous tenait à cœur et que vous étiez décidée à le mener à bien ? Je vous cite : « Rien ne me fera changer d'avis. D'ailleurs, pour tout vous dire, j'ai commencé. »

— Quel rapport avec votre mascarade ?

— Je vais vous expliquer.

Il l'entraîna doucement vers le bureau et l'invita à se rasseoir.

— Je vous ai connue étudiante. Vous étiez, mais je vous l'ai déjà dit, parmi les plus brillantes. Néanmoins, vous aviez un défaut majeur : votre imagination. Or le livre que vous avez pris la décision d'écrire interdit de laisser libre cours à l'imagination ou à la fantaisie. Le message que j'ai tenté de vous transmettre est le suivant : il n'existe pas à l'heure actuelle de thèse définitive sur Akhenaton. Tout est dit, ainsi que son contraire. Toutes les hypothèses se défendent, peu sont avérées. À l'heure où nous parlons, il ne se passe pas un jour sans qu'une découverte remette en question nos connaissances. Pour ne citer qu'elle, la mission archéologique française du Bubasteion dirigée par Alain Zivie ne cesse d'arracher des fantômes au sable de Saqqara. C'est, entre autres, par leurs soins que Dame Maïa, la nourrice de Toutankhamon, a été ressuscitée. En me livrant à ce stratagème, j'ai seulement voulu vous mettre en garde. Écrivez votre ouvrage. Je vous y encourage vivement, mais bridez votre tendance à croire tout trop vite et trop facilement. Laissez votre imaginaire s'égarer de temps à autre. Mais ne perdez jamais de vue le réel. Et, de plus...

Judith n'écoutait plus. Elle avait pris son sac et courait vers la sortie.

Le Caire, de nos jours

Philippe Lucas décacheta l'enveloppe que venait de lui remettre le concierge de l'hôtel Sémiramis. Il reconnut aussitôt l'écriture de Judith et poussa un soupir de soulagement. Une semaine qu'il n'avait plus eu de nouvelles d'elle et qu'elle refusait de répondre au téléphone.

> « *Cher professeur Lucas,*
>
> « *J'ai beaucoup réfléchi ces derniers jours. J'ai médité. J'ai hésité sur l'attitude à adopter face à votre exécrable petit jeu. L'idée m'a même traversé l'esprit de vous faire livrer un flacon de cette crème gorgée de calomel. Finalement, j'ai estimé qu'en vous assassinant j'aurais fait preuve d'une grande injustice. Injustice, parce que grâce à vous, j'ai ouvert les yeux. Vous avez raison, j'ai toujours eu tendance à accorder trop vite foi aux premières informations venues, dès lors qu'elles étaient empreintes d'une part de merveilleux. Toute petite, déjà, je buvais aux lèvres de mon grand-père les contes et les légendes.* L'Iliade *et* L'Odyssée *furent longtemps mes livres de chevet.*

Je m'endormais auprès d'Ulysse, je tremblais pour Achille et j'ai tissé avec Pénélope.
« Je reconnais aussi être pourvue d'une certaine naïveté. Deux défauts majeurs pour qui se consacre à une carrière scientifique. Je vous promets que mon ouvrage sur Akhenaton sera aussi rigoureux que possible. Seulement voilà, le cartésien que vous êtes passe outre quelque chose d'essentiel : la permission donnée aux hommes de rêver et d'imaginer. Rêve et imagination sont les sources du possible. Ajoutez un zeste de folie, et vous obtenez la potion magique qui permet à certains êtres d'atteindre ce que la majorité considère comme étant inaccessible.
« Voyez la vie d'un Schliemann[75]*. Toute son enfance fut bercée des récits enchanteurs qui couraient sur la région qu'il habitait. À l'occasion de Noël, son père lui offrit un livre en cadeau. Sur l'une des planches du volume, on pouvait contempler les palais de Troie pris d'assaut et incendiés par les Grecs. Le petit Schliemann demanda alors où se trouvait cette ville fabuleuse. Le père répondit, sourire aux lèvres, que Troie n'avait jamais existé, qu'il s'agissait là d'une légende inventée par Homère. "Non, protesta l'enfant. Un jour, je retrouverai les restes de la cité de Priam !" Ce qu'il fit.*
« Je pourrais vous citer nombre d'exemples de ce genre où l'imaginaire joua un rôle déterminant dans l'histoire des grandes découvertes.
« Finalement, professeur Lucas, votre petit jeu m'a rappelé à la rigueur, mais il m'a aussi confortée dans ma vision du monde : si le monde

réel a ses bornes, le monde imaginaire est infini...
« Si vous avez le temps, dînons ensemble demain soir. Je vous expliquerais alors de vive voix combien j'aime l'infini.

« J'attends votre appel.

Votre dévouée, Judith Faber. »

ÉPILOGUE

Lutèce, en 350 de notre ère
Environ mille sept cents ans après le règne d'Akhenaton

Julien ordonna que l'on ouvre les portes du palais. Les battants de chêne pivotèrent sur leurs gonds, laissant entrevoir les légions romaines rassemblées sur le champ de Mars. Nous étions en hiver. Un air glacial courait le long des arbres. Julien réprima un frisson et serra contre lui les pans de son manteau. Constantinople était bien loin, Athènes aussi. Et son cher cousin, l'empereur Constance, devait batailler quelque part en Cappadoce.

Tout en avançant vers ses troupes, Julien refaisait en mémoire le chemin qu'il avait parcouru pour en arriver à cet instant glorieux. La première image qui lui revenait, bien sûr, était la scène du drame. Ses parents, toute sa famille, passés au fil de l'épée, sur ordre de Constance. Il avait vécu chaque seconde de l'horreur : son père et sa mère, couchés par terre, baignant dans une mare de sang. Une véritable boucherie. Julien avait tout juste sept ans. Miraculeusement, lui et son demi-frère Gallus avaient été épargnés.

Une immense clameur arracha Julien à ses pensées, si intense qu'on eût dit le roulement du tonnerre.

L'armée lui ouvrait les bras.

Brusquement, des légionnaires se précipitèrent sur lui et le hissèrent sur un bouclier, tandis que des voix scandaient :

— Vive Julien Auguste !

Puis :

— Vive l'empereur Julien !

Julien ferma les yeux. Il songea : « J'avais demandé un signe au dieu. Voilà qu'il me l'accorde. Il m'ordonne de ne pas m'opposer à mes soldats[76]. »

Certes, tout n'était pas gagné. L'empereur Constance était encore vivant. Mais bientôt, avec l'aide du destin, Constance mourrait, et Julien deviendrait alors l'unique maître de l'Empire.

Enfin, il allait pouvoir réaliser son rêve d'adolescent !

C'en serait fini du dieu des chrétiens. C'en serait fini de cette affaire de dieu unique. Lui, Julien, fils du Soleil, mettrait un terme à ce monothéisme imbécile. À cette hérésie. Un seul dieu ? Un dieu inventé par le fils d'un charpentier de Nazareth ? Ce juif dissident ? Folie !

Demain, grâce à Julien, les dieux grecs seraient rétablis, avec à leur tête Hélios, le dieu solaire. *Soli invicto* ! Le Soleil invaincu. Demain, cette devise remplacerait sur les étendards romains la croix, cet instrument de torture voulu par Constantin, premier empereur romain à s'être fait piégé par le baptême.

Tous les peuples de la terre n'adoraient-ils pas le Soleil ? Même en Inde, des hymnes sacrés proclament sa toute-puissance. Le Soleil et Mithra, son médiateur.

Oui. Demain, la vérité reprendra ses droits.

Une fois au pouvoir, il restituerait leurs biens aux temples et aux cultes païens, il supprimerait les privilèges accordés aux clercs chrétiens. Il ordonnerait que soient mises en place dans les temples des tribunes surélevées d'où l'on apprendrait au peuple le seul credo digne d'être récité :

> « *La lumière est une, partout, éternellement ; elle est présente indivisiblement au fond de tous les êtres ; elle remplit tout l'univers de sa puissance illimitée... C'est à son imitation que le ciel et la terre accomplissent leur révolution circulaire. Elle fait se rejoindre les principes et les fins et réalise la continuité et l'harmonie avec tous*[77]... »

Plus jamais de monothéisme. Plus jamais. Ses adeptes avaient trop de sang sur les mains. Beaucoup trop de sang.

NOTES

1. Connu aussi sous le nom grec d'Aménophis.

2. *Akhenaton, roi d'Égypte*, présenté et traduit de l'anglais par Alain Zivie, Paris, Seuil, 1997.

3. *D'Akhenaton à Toutankhamon*, Université Lumière-Lyon 2, Institut d'archéologie et d'histoire de l'Antiquité, 1998.

4. Thèbes est en fait le nom donné à la ville par des voyageurs grecs en souvenir de la Thèbes située en Béotie.

5. *Akhenaten, The Heretic King*, American University in Cairo Press, 1989.

6. Les Égyptiens sont, sans doute, le premier peuple à avoir inventé un calendrier solaire et rationnel. Leur année était composée de trois cent soixante-cinq jours, divisée en douze mois de trente jours chacun, auxquels on ajoutait à la fin de l'année cinq jours supplémentaires, ou épagomènes. Les mois étaient groupés en tétraménies, qui formaient trois saisons : l'inondation (*akhet*), la germination (*peret*), la chaleur (*shemou*). Ce n'est qu'à la Basse Époque que chacun des quatre mois qui formaient les tétraménies reçurent un nom : Thot, Paophi, Athyr, Choiak pour la première saison de l'inondation ; Tybi, Méchir, Phaménoth, Pharmouthi, pour la deuxième saison de la germination ; Pachons, Payni, Epiphi, Mésori, pour la troisième saison de l'été. L'année égyptienne commençait le jour où Sirius sort de l'horizon, au moment du lever du soleil ; ce phénomène, qu'on nomme le lever héliaque de Sothis, correspond approximativement au début de la crue du Nil, et, pour ce peuple d'agriculteurs, cette date (le 19 juillet ou 15 juin de notre calendrier, à la latitude de Memphis) marquait le début de l'année. Cependant, comme l'année égyptienne ne comprenait que trois

cent soixante-cinq jours, alors que les cycles du soleil et de Sirius sont de trois cent soixante-cinq jours un quart, le début de l'année officielle prenait un nouveau jour de retard tous les quatre ans.

7. Il existe de nombreuses interprétations du nom Akhenaton : « Celui qui est agréable pour Aton », « Celui qui est utile à Aton », « Celui qui est bénéfique à Aton ». L'égyptologue anglais Cyril Aldred a proposé « L'Esprit efficace d'Aton ». Difficile de se déterminer de façon formelle et définitive.

8. Les dates du règne d'Akhenaton sont toujours aussi ardues à définir : 1377 à 1360, selon certains égyptologues, parmi lesquels Donald B. Redford ; 1364 à 1347 selon d'autres, ou encore de 1355 à 1366. Et la liste des hypothèses n'est pas exhaustive.

9. *Hyksos* est le nom donné par le prêtre et historien égyptien Manéthon (IIIe siècle av. J.-C.) aux envahisseurs asiatiques qui dominèrent l'Égypte de 1730 environ à 1560 avant J.-C. Flavius Josèphe, historien juif du Ier siècle de notre ère, nous a conservé les passages où Manéthon mentionne l'invasion des Hyksos. « À l'improviste, des hommes d'une race inconnue venue de l'Orient eurent l'audace d'envahir notre pays [l'Égypte], et sans difficulté ni combat s'en emparèrent de vive force. On nommait tout ce peuple Hyksôs, ce qui signifie "rois-pasteurs". Car *hyk* dans la langue sacrée signifie "roi" et *sôs* dans la langue vulgaire veut dire "pasteur". La réunion de ces deux mots donne Hyksôs. »

10. L'un des termes qui servait à désigner le territoire de l'empire mitannien.

11. Dieu de Coptos et de Panopolis. Protecteur des pistes du désert oriental, il était représenté sous la forme d'un homme coiffé de la calotte plate à hautes plumes, que porte aussi Amon. Divinité génératrice, il est représenté avec ses caractères ithyphalliques, qui l'ont fait confondre avec Pan par les Grecs. Incarné dans un taureau, il avait pour mère et épouse Khentet-Iabet, « Celle qui préside à l'Orient ».

12. La tombe n° 120, située dans les collines de Cheikh Abd el Gourna.

13. Hathor est une déesse dont l'origine remonte aux premiers temps de la préhistoire. On retrouve trace de sa présence sur un document très ancien, la palette de Narmer. Ses fonctions sont multiples : elle est déesse de l'amour et de la joie, de la beauté, de

la musique et de la danse, dame de la turquoise, nourrice de l'héritier royal.

14. La localisation de cet empire reste difficile à préciser. La partie centrale et sa capitale historique, Washoukani, font toujours l'objet de spéculations. On peut supposer que le Mitanni se trouvait quelque part sur les rives de l'Euphrate, en haute Mésopotamie au XVIe siècle av. J.-C. Au XVe siècle, le Mitanni dominait la Syrie du Nord et avait vassalisé l'Assyrie.

15. Région de Nubie, située au sud de la quatrième cataracte du Nil, où se constitua durant le IIe millénaire av. J.-C. un royaume ayant pour capitale Napata.

16. Dépression, vallée.

17. *Pharaons*, Philipp Vandeberg, Éditions Omnibus, 2000.

18. Mystérieux pays de l'encens, dont la localisation exacte demeure une des énigmes de l'archéologie du nord-est de l'Afrique. Sans doute se trouvait-il quelque part vers l'actuelle côte des Somalis.

19. Aujourd'hui Homs. Ville de Syrie située sur le cours supérieur de l'Oronte.

20. La mesure de longueur étalon était la coudée royale (*meh*) représentée par un bras de 0,523 m, et valant 7 palmes (*shesep*) et 28 doigts (*djeba*). Le multiple était la canne (*khet)* de 100 coudées. L'*itérou* était une mesure itinéraire équivalant approximativement au *schoene* grec et représentant à peu près quatre mille coudées, soit environ deux kilomètres.

21. *Cf. Pharaons, op. cit.*

22. *Cf.* Adolf Erman et Hermann Ranke, *La Civilisation égyptienne*, Payot, 1994, p. 504.

23. La traduction de ces lettres s'est révélée très difficile et elle est loin d'être définitivement arrêtée, car les scribes qui les ont écrites utilisaient une langue qui n'était pas la leur propre, mais dérivait d'une forme plus ancienne de vieux babylonien, modifiée par l'introduction d'innovations cananéennes dans le vocabulaire, jusqu'à devenir un jargon diplomatique inintelligible, si ce n'était par ceux qui le pratiquaient.

24. Région au sud d'Assouan. Basse Nubie.

25. C'est la notion spirituelle des Égyptiens qui est probablement la plus complexe à définir. En fait, selon les époques, le sens

attribué à ce mot a souvent varié. Maspero l'appelait le « double ». Mais il est bien plus que cela. Il peut être apparenté au mot qui signifie « aliments », ou qui désigne une partie du composé humain. Le *ka* est supposé accompagner l'homme depuis sa naissance. Il exprime tout à la fois l'« être », la « personne », l'« individualité », mais aussi la puissance fondamentale de l'homme, voire sa puissance sexuelle. Faute d'une analyse égyptienne de ce concept, nous avons encore beaucoup de mal à le saisir entièrement.

26. *Cf. Pharaons*, *op. cit.*

27. Dans le delta du Nil, à environ quatre-vingts kilomètres d'Alexandrie.

28. Elle se déroulait chaque année au milieu du mois de l'inondation.

29. Des souvenirs de Satamon ont été retrouvés dans la tombe de ses grands-parents, Youya et Touyou. On la voit figurer sur les dossiers de deux chaises d'adolescente, placée devant l'image de la reine Tiyi à qui elle rend hommage, ou bien assise, recevant le collier d'or. Un tube de khôl, conservé au Metropolitan Museum de New York, marqué des cartouches jumelés d'Amenhotep III et de Satamon, confirme – entre autres exemples – l'union entre les deux personnages.

30. Thoumosis, selon la traduction grecque.

31. Ou Achmounein. Connue aussi sous le nom d'Hermopolis.

32. Villes situées dans la région de Canaan.

33. Dans la religion égyptienne, Khépri est le soleil du matin, c'est-à-dire une forme du dieu-Soleil, avec Rê (le soleil dans son zénith) et Atoum (le soleil couchant). Il constitue le grand dieu d'Héliopolis qui vint à l'existence « sous la forme de l'existant ». *Kheper* signifie aussi « devenir », « exister ».

34. Hymne sculpté sur une stèle provenant de la tombe des « intendants des travaux d'Amon », Souty et Hor, sous Amenhotep III.

35. Les familles qui enterraient leur mort plaçaient des briques de terre cuite sur lesquelles elles disposaient des amulettes protectrices. Ces briques étaient ensuite murées dans des niches.

36. Davis Theodore, Gaston Maspero et G. Elliot Smith, *The Tomb of Queen Tiyi*, XXIV, « Text on the discovery and excavations », Londres, Constable, 1910, 45 p.

37. Aujourd'hui village de Deir-el-Medineh, sur la rive ouest du Nil.

38. Représentée sous la forme d'un vautour blanc, elle était la principale déesse de la Haute-Égypte. Son homologue septentrionale était Ouadjet, la déesse-cobra.

39. Adolf Erman et Herman Ranke, *op. cit.*

40. L'origine des Hittites est mal connue. Leurs premières traces remontent aux environs de 1900 av. J.-C. et montrent qu'ils s'introduisirent, vraisemblablement en plusieurs vagues, dans la région anatolienne.

41. *Cf.* Joyer Tyldesley, *Néfertiti*, Éditions du Rocher, 1998.

42. Dans l'Égypte ancienne, le vin était conservé dans des jarres d'argile, scellées par un cachet qui indiquait le millésime, parfois le nom du vignoble, du vigneron ou du maître de chai ainsi que le jour de l'apposition des sceaux. Ceux-ci sont donc des points de repère pour les historiens qui leur permettent d'établir la chronologie de chaque époque.

43. *Cf.* Cyril Aldred, *Akhenaton, roi d'Égypte*, *op. cit.*

44. *Ibid.*

45. Le mémorial de Panhesy. Il se trouve actuellement au British Museum.

46. La mission archéologique française du Bubasteion a été fondée par Alain Zivie, directeur de recherche au CNRS, qui en assure la direction depuis l'origine. Elle doit son nom au fait qu'elle œuvre à l'intérieur du périmètre connu sous le nom grec de Bubasteion, à l'intérieur duquel se trouvaient le sanctuaire de la déesse Bastet ou Bubastis à Saqqara et ses catacombes de chats momifiés. On doit aussi à cet éminent égyptologue de nombreuses découvertes de tombes de hauts dignitaires du Nouvel Empire. Parmi celles-ci, récemment mises au jour, on peut citer celle de Dame Maïa, nourrice de Toutankhamon, et celle de Netcherouymes, grand intendant de Memphis, directeur de tous les travaux et directeur du trésor sous le roi Ramsès II.

47. Illahoum. À l'entrée du Fayoum.

48. Actuellement place du Latran, à Rome. Haut à l'origine de plus de 33 mètres, il avait été conçu exceptionnellement comme un obélisque unique par Thoutmosis III, dressé dans le temple de

l'Est à Karnak, puis transporté jusqu'à Rome sous Constance II (357).

49. Probablement du ricin.

50. L'expression est dérivée du mot arabe, *talata* signifiant « trois ». Les ouvriers égyptiens baptisèrent ainsi ces blocs de pierre sans doute parce que leur longueur (+/– 55 cm) équivaut à trois empans. Un empan représentant l'intervalle compris entre l'extrémité du pouce et celle du petit doigt, lorsque la main est ouverte le plus possible. On sélectionnait le grès à partir de strates qui permettaient de façonner des briques d'une coudée de longueur. Ces blocs étaient alors facilement extraits et tout aussi facilement transportés sur les chantiers. Le Centre de Karnak depuis sa création a mis au jour un lot homogène de trente-cinq mille pierres. Elles proviennent d'un ensemble monumental érigé sous Akhenaton, à l'est de l'enceinte du temple d'Amon à Karnak. Lors de la destruction systématique des monuments par ses successeurs, leurs murs furent disjoints, et leurs pierres réutilisées comme blocage dans les constructions postérieures. Ainsi le IXe pylône de Karnak fut-il le gardien monumental d'une partie de ces documents. Ils ont été localisés avec précision, numérotés, puis photographiés à une échelle constante. Cette masse documentaire apporte de nombreux renseignements nouveaux sur une période importante de l'histoire égyptienne. Elle fait l'objet d'étude très poussée grâce à l'*Akhenaten Temple Project*, initié et dirigé par Donald Redford. Pour plus amples détails, voir *Akhenaten, The Heretic King*, par Donald B. Redford, *op. cit.* Et l'ouvrage de Cyril Aldred, *Akhenaton, roi d'Égypte*, *op. cit.*

51. Littéralement : « répondant ». Il s'agissait d'une figurine humaine, faite à l'origine en bois, et qui était supposée devenir le serviteur du mort. Au Moyen Empire, quand l'usage du *oushebti* est apparu, chaque défunt n'en avait qu'un dans sa tombe. Au Nouvel Empire, on empila dans des caisses des centaines de ces figurines (jusqu'à sept cents) et on ne les considéra plus comme des substituts de la personne, mais comme ses esclaves. Chacun se procurait ces figurines selon ses moyens : *oushebti* de pierre, de bois, parfois de bronze ou de faïence bleue.

52. Habitants originaires de la Carie, région qui s'étend au sud-ouest de l'Asie Mineure. L'origine des Cariens a fait l'objet de

nombreuses controverses, la tradition grecque les faisant venir des îles de l'Égée qu'ils auraient abandonnées à l'arrivée des Grecs.

53. Habitants de Tyr, la cité antique des Phéniciens.

54. Il correspondait aux zones portuaires. Sa localisation est incertaine.

55. Près de dix mille mètres carrés.

56. À 65 kilomètres au sud de la ville de Minieh, à 40 kilomètres du lieu-dit el-Amarna.

57. Dépression, vallée.

58. L'endroit est aujourd'hui connu sous le nom de Tell el-Amarna. Ce nom erroné, mais entré dans l'usage, est le fruit de la déformation des noms d'un village actuel, el Tell, et d'une tribu arabe installée anciennement, les Beni Amran. Localisé sur la rive est du Nil, le site consiste en une vaste étendue limitée à l'ouest par le Nil et à l'est par la chaîne arabique qui forme à cet endroit comme un cirque. C'est dans ce paysage presque clos et somme toute vierge qu'Akhenaton, accompagné de la reine Néfertiti, décida de bâtir cette nouvelle capitale dédiée au dieu Aton.

59. Un travail de fourmi a permis aux chercheurs de reconstituer la quasi-totalité des inscriptions. Celles-ci nous révèlent que le roi décida de quitter Thèbes pour Amarna en l'an IV, et qu'il établit les limites officielles de sa nouvelle capitale en l'an VI en prêtant le serment de consécration. Il renouvela ce serment en l'an VIII, lorsqu'il inspecta ses frontières, et ajouta un texte à ce propos sur huit des stèles. Toutes furent réalisées selon le même modèle : rectangulaires, elles présentent des côtés droits et un sommet arrondi, qui permet à Aton de briller dans un ciel en forme de voûte. Sous le disque solaire, Akhenaton, Néfertiti et leurs filles sont représentés dans une attitude d'adoration. Quant au texte, il occupe le registre inférieur. Taillée, par un heureux hasard, dans une veine de calcaire exceptionnellement dur, la stèle baptisée « stèle frontière » est celle où les propos du pharaon sont le mieux conservés. Mesurant à peu près un mètre et demi de large sur deux mètres et demi de haut, elle comporte quatre colonnes et vingt-six lignes d'inscriptions. Dans sa partie supérieure, on voit Akhenaton, Néfertiti, Meritaton et Maketaton vénérant le disque solaire.

60. Nadjib Mahfuz, *Mon Égypte*, J.-C. Lattès, 1996.

61. Constantin Cavafy, né à Alexandrie le 29 avril 1863. Parmi les plus grands poètes de la Grèce moderne.

62. Barrière montagneuse, au nord du Hedjaz (région d'Arabie Saoudite) située entre 1 000 et 1 500 mètres d'altitude et culminant vers 2 300 mètres.

63. Cette allusion ne reflète en rien une crise de vanité de l'auteur. Rédigé sous le Moyen Empire, Sinouhé est l'ancêtre du roman dit « historique ». Tant par son style que par sa composition, le récit compte parmi les chefs-d'œuvre du genre.

64. Alliage d'or et d'argent.

65. L'actuelle Sikket el-Sultan, qui signifie en arabe l'« avenue du sultan ».

66. C'est là précisément que furent retrouvées les fameuses tablettes dites de Tel el-Amarna.

67. Environ 12 kilomètres.

68. Connu sous le titre de « Grand Hymne à Aton », le texte original (du moins ce qu'il en subsiste) fut copié par U. Bouriant en 1884. Depuis, d'innombrables traductions ont été publiées. Il existe aussi un « Petit Hymne à Aton », connu par cinq versions gravées à Amarna dans les tombes de Meryré, Toutou, Mahou, Apy et Any. *Cf.* Guy Grandet, *Hymnes de la religion d'Aton*, Paris, Seuil, collection « Points Sagesses », 1998, n° 97.

69. La tête fut exhumée le 6 décembre 1912 par l'égyptologue allemand Ludwig Borchardt. Celui-ci a « omis » d'informer le service archéologique égyptien de l'importance de la découverte. La statue fut-elle maquillée ou cachée aux inspecteurs qui donnèrent leur accord pour le départ vers l'Allemagne ? Mystère. Quand la statue fut enfin exposée au musée de Berlin en 1922 (où elle se trouve toujours), l'Égypte décida d'interdire aux archéologues allemands d'entreprendre des fouilles en Égypte.

70. Le 7 juin 2003, le ministre égyptien de la Culture, Farouk Hosni, a aussitôt réclamé le retour immédiat du buste, et l'Unesco a été alertée de cette « atteinte à l'éthique scientifique ».

71. La ville était située à 30 kilomètres de la cité solaire, au nord d'Hermopolis.

72. Région orientale de la Moyenne-Égypte, située dans le désert Libyque, à l'ouest du Nil.

73. *D'Akhenaton à Toutankhamon, op. cit.*

74. Région de la Syrie centrale.

75. Jacques Benoist-Meschin, *L'Empereur Julien ou le rêve calciné*, Paris, Perrin, 1998.

76. Jamblique, *Les Mystères d'Égypte*, Éditions des Places, 2003, p. 56-57.

77. Heinrich Schliemann, archéologue allemand qui découvrit les ruines de Troie et de Mycènes.

BIBLIOGRAPHIE

ALDRED Cyril, *Akhenaton, roi d'Égypte*, présenté et traduit de l'anglais par Alain Zivie, Paris, Seuil, 1997.

ANDREU Guillemette, *L'Égypte au temps des pyramides*, Paris, Hachette, coll. « La vie quotidienne », 2003.

BENOIST-MÉCHIN Jacques, *L'Empereur Julien ou le rêve calciné*, Paris, Perrin, 1998.

DAUMAS François, *La Civilisation de l'Égypte pharaonique*, Paris, Arthaud, 1998.

DESROCHES NOBLECOURT Christiane, *La Femme au temps des pharaons*, Paris, Le Livre de Poche, 1998.

DESROCHES NOBLECOURT Christiane, *Ramsès II, la véritable histoire*, Paris, Pygmalion, 1996.

DESROCHES NOBLECOURT Christiane, *Toutankhamon*, Paris, Pygmalion, 1997.

Égyptes, *Anthologie de l'Ancien Empire à nos jours*, textes réunis et présentés par Catherine David, Jean-Philippe de Tonnac et Florence Quentin, 2001.

ERMAN Adolf et RANKE Hermann, *La Civilisation égyptienne*, Paris, Payot, 1994.

GABOLDE Marc, *D'Akhenaton à Toutankhamon*, Université Lumière-Lyon II, Institut d'archéologie et d'histoire de l'Antiquité, 1998.

Hymnes à la religion d'Aton, présentés et traduits de l'égyptien par Pierre Grandet, Paris, Seuil, 1995.

JACQ Christian, *Néfertiti et Akhenaton*, Paris, Perrin, 1999.

KRAUSS Rolf, *Moïse le pharaon*, Paris, Éditions du Rocher, 2000.

Le Livre des morts des anciens Égyptiens, traduction et commentaires de Guy Rachet, Paris, Cerf, 1998.
MAHFUZ Nadjib, *Mon Égypte*, dialogues avec Mohamed Salmawy, photographies de Gilles Perrin, Paris, J.-C. Lattès, 1996.
MONTET Pierre, *L'Égypte au temps de Ramsès*, Paris, Hachette, coll. « La vie quotidienne », 1995.
POSENER Georges, *Dictionnaire de la civilisation égyptienne*, Fernand Hazan, 1998.
RACHET Guy, *Dictionnaire de la civilisation égyptienne*, Paris, Larousse, 1998.
RACHET Guy, *L'Égypte mystique et légendaire*, Paris, Éditions du Rocher, 1996.
REDFORD Donald B., *Akhenaten, The Heretic King*, the American University in Cairo Press, 1989.
ROMANT Bernard, *La Vie en Égypte aux temps antiques*, Genève, Minerva, 1978.
ROPS Daniel, *Le Roi ivre de dieu*, Paris, Fayard, 1953.
SOULIÉ Daniel, *Villes et citadins au temps des pharaons*, Paris, Perrin, 2002.
TYLDESLEY Joyce, *Néfertiti*, Paris, Éditions du Rocher, 1998.
ZIVIE Alain, *Les Tombeaux retrouvés de Saqqara*, Paris, Éditions du Rocher, 2003.